Werner Schmitz

Übungen zu Präpositionen und synonymen Verben

Max Hueber Verlag

| 3. 2. 1. | Die letzten Ziffern |
| 1999 98 97 96 95 | bezeichnen Zahl und Jahr des Druckes. |

Alle Drucke dieser Auflage können, da unverändert, nebeneinander benutzt werden.
8., neubearbeitete Auflage 1995
© 1967 Max Hueber Verlag, D-85737 Ismaning
Umschlaggestaltung: A. C. Loipersberger
Satz: FoCoTex Nowak, Wallbergweg 6, 82335 Berg
Druck: Ludwig Auer GmbH, Donauwörth
Printed in Germany
ISBN 3-19-001094-3

2

Vorbemerkung

Die 8. Auflage ist eine gründlich überprüfte und inhaltlich verbesserte Ausgabe. Ich habe die Durchsicht dazu benutzt, einiges zu verdeutlichen und zu ergänzen und eine Reihe von literarischen Beispielen durch umgangssprachliche zu ersetzen. Bei den synonymen Verben habe ich mehrere Gruppen wie *brennen, schließen* u.a., die mir zu speziell erschienen, herausgenommen und durch wichtigere ersetzt, z. B. durch *probieren, anprobieren, ausprobieren* und durch reflexive Verben wie *sich versprechen, sich verspäten, sich verfahren* usw., denen eine kurze Orientierung über die Verben mit *ver-* vorangeht. Am Schluß des Heftes sind Erklärungen und Übungen zu einigen Verben mit mehreren Präpositionen angefügt: *sich freuen, bestehen, sprechen, sich interessieren.* Besonders hinweisen möchte ich auf die neue Übung Nr. 20 (S. 19) zum Unterschied von *vor* und *seit.* Hier müssen die Studenten nicht die Präposition, sondern das zu *seit* passende Verb suchen. Die Lösung ist also nicht vorbereitet, sondern muß selbständig gefunden werden. Das fällt vielen Studenten überraschend schwer, obwohl die Aufgabenstellung klar ist. Diese Übung erfordert sowohl Logik, als auch schon etwas Sprachgefühl, denn es werden auch die Wechselpräpositionen und die Adverbien *schon, erst* und *nicht mehr* dabei geübt.
Ich hoffe, daß die Bearbeitung des Heftes eine noch bessere Hilfe zum gründlichen Deutschlernen bietet.

Sept. 1994   W. Schmitz

Die gebrauchten Abkürzungen sind

D	=	Dativ	jm	=	jemandem
A	=	Akkusativ	jn	=	jemanden
tr.	=	transitiv	fig.	=	figurativ
intr.	=	intransitiv	idiom.	=	idiomatisch
et.	=	etwas	Sprichw.	=	Sprichwort

3

Inhalt

Übungen
zu
Präpositionen

Ortsangaben

1. wohin?

a) Vergnügen und Arbeit

in die Schule, Kirche, Klinik, Fabrik, Vorlesung
ins Gymnasium, Büro, Institut, Krankenhaus, Museum, Hotel
ins Kino, Restaurant, Theater, Konzert
zum Bahnhof, Zug, Rathaus, Einwohnermeldeamt
zur Kasse, Bank, Post, Polizei, zum Schalter
zum Arzt, zum Chef, zu Dr. Ahrens, zu Prof. Behrens
zu meinem Freund, zu einer Bekannten

In gebraucht man für regelmäßige oder längere Aufenthalte.
Zu gebraucht man, wenn man nur etwas zu erledigen hat. Die Umgangssprache sagt in diesen Fällen auch häufig *auf*:

ich muß aufs Rathaus, auf die Post, auf die Bank

Zu gibt den Zweck an:

zur Reparatur, zur Reinigung, zum Studium
zur Arbeit, Untersuchung, Erholung, Kur
*zum Essen, Baden, Tanzen, Fußballspielen, Skifahren**

In vielen Fällen kann man beides sagen:

in die Schule, Kirche, Universität, Bibliothek usw.
zur Schule, Kirche, Universität, Bibliothek usw.

In sagt man mehr, wenn man an den Ort, das Gebäude denkt.
Zu sagt man, wenn man an den Zweck denkt:

zur Schule, Kirche, Universität, Bibliothek usw.
zum Unterricht, zum Gottesdienst, zur Vorlesung, zum Lesen

Zu gibt außerdem das Ziel an:

Ich fahre Sie schnell (mit meinem Wagen) *zum Bahnhof, zum Theater,*
zur Universität

und natürlich nicht

in den Bahnhof, ins Theater, in die Universität

denn da kommt man mit dem Auto nicht hinein.
Zu muß immer bei Personen stehen!

---

* Bei den Infinitiven kann die Präposition auch fortfallen. Statt *wir gehen zum Essen, Baden* usw. kann man natürlich auch einfach sagen *wir gehen essen, baden* usw.

6

Übung 1: Wohin? In oder zu?
1. Er fährt ... Büro, ... Fabrik, ... Institut. 2. Sie gehen jetzt ... Schule, ... Gymnasium, ... Kirche. 3. Wir gehen heute abend ... Kino, ... Theater, ... Konzert. 4. Ich muß ... Bank, ... Post, ... Polizei (Umgangssprache: Ich muß ... Bank, ... Post, ... Polizei). 5. Ich muß um 5 Uhr ... Zahnarzt. 6. Der Kranke ist ... Untersuchung ... Krankenhaus gekommen. 7. Er ist ... Operation ... Klinik gekommen. 8. Kommst du mit ... Arthur? 9. ... welches Restaurant wollen wir gehen, ... „Post" oder lieber ... „Adler?" 10. Wollen Sie ... mir kommen, oder soll ich ... Ihnen kommen? 11. Ich gehe jetzt ... meinem Freund, wir wollen zusammen ... Kino. 12. Sie fährt ... Bahnhof, um ihre Mutter abzuholen. 13. Wollt ihr morgen ... Abendessen ... uns kommen? 14. Ich muß heute nachmittag ... Vorlesung, ... Übung, ... Seminar. 15. Ich habe mein Auto ... Reparatur, meine Hose ... Reinigung gebracht.

b) Reisen

> *nach Köln, Deutschland, Europa, aber:*
> *ins Ausland, in die Türkei, in die Schweiz, ins Blaue**
> *in die Stadt**, aber: aufs Land*
> *in die Berge, ins Gebirge, in die Alpen*
>
> *an den Rhein* (aber: *ins Rheinland*), *an die Donau* (aber: *nach Wien*) *an den Strand, ans (Mittel-) Meer, an die (Nord- oder Ost-) See*
> *auf eine Insel* (aber: *nach Helgoland, nach Kreta*. Mit Ortsnamen!)

Nach gebraucht man nur für Ortsangaben ohne Artikel. Sobald ein Artikel hinzukommt heißt es *in:*

> *ins Ausland, in die Vereinigten Staaten, in die Türkei*

Beachte noch besonders: *wir gehen auf eine Reise, Wanderung, Exkursion*

Übung 2: Wohin fahren Sie in den Ferien? Nach, in, an oder auf?
1. Wir fahren ... Land, ... Meer, ... Gebirge. 2. Wir fahren ... Berlin, ... Schweiz, ... Italien. 3. Ich fahre ... Nordsee, ... Alpen, ... Paris. 4. Ich fahre ... Ausland, ... Ägypten, ... Innere Mongolei. 5. Wir fahren ... Schwarzwald, ... Bayern, ... Insel. 6. Wir fahren ... Mittelmeer, ... Griechenland, ... Rhein. 7. Wir machen eine Fahrt ... Blaue, ... Hamburg, ... Rheinland. 8. Ich fahre ... Gebirge, ... Schwarze Meer, ... Rumänien. 9. Wir wollen im Sommer ... Skandinavien, ... Meer, ... Tirol, ... Dolomiten. 10. Lehmanns fahren dieses Jahr wieder ... Mittelmeer, ... Griechenland und ... Türkei.

---

* mit unbestimmtem oder unbekanntem Ziel
** *zur Stadt* gibt nur die Richtung an

Übung 3: Wohin führt ......? Antworten Sie in ganzen Sätzen!
1. Wohin führt eine Deutschlandreise? 2. eine Auslandsreise 3. eine Schweizer Reise 4. eine Mittelmeerreise 5. eine Rheintour 6. eine Seereise 7. eine Alpenfahrt 8. eine Inselreise 9. eine Kretareise 10. eine Schwarzwaldreise 11. eine Bodenseereise 12. eine Gebirgswanderung 13. eine Moselfahrt 14. eine Waldwanderung 15. eine Landpartie

c) Haus und Wohnung

nach Hause (von der Arbeit, aus der Schule usw.)
ins Haus (aus dem Garten, von der Terrasse, allgemein: von draußen)
auf die Straße, den Balkon, die Terrasse, den Hof, den Spielplatz
in den Garten, den Park
ins Eßzimmer, Wohnzimmer, in die Küche, in den Keller
ins Bett, auch: *zu Bett*
an den Tisch (zum Schreiben, Lesen), aber: *zu Tisch* (= zum Essen)
an die Wand, ans Fenster, an den Ofen, an die Heizung
auf den Stuhl, die Couch, das Sofa, die Bank, aber: *in den Sessel*
auf den Tisch, in den Schrank

Übung 4: Wohin? In, an, auf, nach oder zu?
1. Sie geht ...... Straße, ... Küche, ... Garten. 2. Er tritt ...... den Balkon, ... Fenster, ... Wohnzimmer. 3. Setzen Sie sich hier ...... Tisch, ... Sofa, ... Sessel. 4. Die Kinder müssen um 9 Uhr ...... Bett. 5. Das Essen ist fertig und serviert. Die Dame des Hauses bittet ...... Tisch. Gastgeber und Gäste setzen sich ...... Tisch. 6. Hier draußen wird es mir zu kalt, ich gehe ...... Haus (oder einfach: hinein). 7. Kommen Sie, wir setzen uns eine halbe Stunde ...... Terrasse, ... Garten, ... Balkon. 8. Er kommt abends immer erst spät ...... Hause. 9. Setzen Sie sich ...... Couch, ... Sessel, ... Heizung! 10. Leg das Buch bitte ...... Tisch, ... Stuhl, ... Schrank!

Zusammenfassung

Übung 5: Wohin?
1. Er geht ...... Arbeit, ... Büro, ... Fabrik. 2. Sie geht ...... Küche, ... Terrasse, ... Keller. 3. Wir fahren im Sommer ...... Japan, ... Meer, ... Alpen. 4. Die Kinder gehen ...... Schule, ... Gymnasium, ... Kirche. 5. Wir gehen heute ...... Theater, ... Konzert, ... Museum. 6. Die Studenten müssen ...... Vorlesung, ... Universität, ... Institut. 7. Die Kinder müssen pünktlich ...... Bett. 8. Wenn Sie frieren, setzen Sie sich ...... Ofen, ... Heizung, nicht ...... Fenster! 9. Sie fährt im Urlaub ...... Schwarzwald, ... Bayern, ... Ostsee. 10. Ich muß dringend ...... Bank, ... Post, ... Arzt. 11. Kannst du heute abend mit ...... Kino, ... Theater, ...

8

Konzert? 12. Die Kinder möchten ...... Straße, ... Garten, ... Wald, ... Terrasse (gehen). 13. Ich muß unbedingt ...... Frisör, ... Hause, ... Vorlesung. 14. Fahren Sie zufällig ...... Stadt, ... Post, ... Bahnhof und können mich mitnehmen? 15. Ich kann Sie gern schnell ...... Hause, ... Konzert, ... Theater, ... Bahnhof fahren. 16. Er fährt jeden Sommer ...... Berge.

Übung 6: Wohin?

1. Ich muß ganz schnell ...... Hause, ... Büro, ... Arbeit. 2. Wir fliegen Ostern ...... Kanada, ... Teheran, ... Türkei. 3. Setzen Sie sich nicht ...... Couch, sondern lieber ...... Sessel! 4. Er ist ...... Land, ... Stadt gefahren. 5. Der Kranke ist gestern ...... Klinik, ... Krankenhaus gekommen. 6. Wir fahren in den Ferien ...... Bayern, ... Bayerischen Wald, ... Chiemsee. 7. Sie trat ...... Haus, ... Balkon, ... Küche. 8. Wir gehen ...... Restaurant, ... Polizei, ... Dr. Biermann. 9. Ich muß sofort ...... Bahnhof, ... Chef, ... Kasse. 10. Kommst du heute abend .... oder soll ich .... kommen?

2. wo?

Für die Präpositionen *in, an, auf* ist die Lösung sehr einfach. Sie nehmen auf die Frage wo? einfach den Dativ:

wohin?	wo?
in die Schule, Kirche, Fabrik	*in der Schule, Kirche, Fabrik*
ins Kino, Theater, Museum	*im Kino, Theater, Museum*
ins Hotel, Restaurant	*im Hotel, Restaurant*
ins Ausland, in die Türkei	*im Ausland, in der Türkei*
in den Garten, Keller, ins Bad	*im Garten, Keller, Bad*
in die Mörikestraße	*in der Mörikestraße**
an den Rhein, Strand, ans Meer	*am Rhein, Strand, Meer*
an die Wand, Heizung, ans Fenster	*an der Wand, Heizung,*
	am Fenster
auf die Straße, Terrasse	*auf der Straße**, Terrasse*
auf den Hof, Parkplatz	*auf dem Hof, Parkplatz*
auf die Post, Bank, aufs Land	*auf der Post, Bank, auf dem Land*
auf eine Reise, Wanderung,	*auf einer Reise, Wanderung,*
einen Ausflug	*einem Ausflug*

---

* aber die Adresse ohne Präposition und Artikel: *Ich wohne Mörikestraße 24.*
** unterscheide: *Die Kinder spielen, das Auto steht auf der Straße. Aber: Ich wohne in der Mörikestraße.*

Für *nach* auf die Frage *wohin?* steht *in* auf die Frage *wo?*

nach *Köln, Deutschland, Europa*   in *Köln, Deutschland, Europa*

Wichtige Ausnahme:

nach *Hause*   *zu Hause*

Dagegen gibt es für *zu* mehrere Lösungen.

1. Wenn es sich um Lokalangaben handelt, heißt es *auf:*

zum Bahnhof, Rathaus,   *auf dem Bahnhof, Rathaus,*
Einwohnermeldeamt   *Einwohnermeldeamt*
zur Post, Bank, Polizei   *auf der Post, Bank, Polizei*

2. Bei Personen heißt es immer *bei:*

zum Arzt, zum Chef, zu Dr. Ahrens   *beim Arzt, beim Chef, bei Dr. Ahrens*

Auch der Arbeitsplatz wird mit *bei* angegeben:

er ist, arbeitet bei Siemens, bei der Post, Bank, Polizei, bei der Bundeswehr,
bei einer Speditionsfirma

3. *Zu* antwortet auch auf die Frage wo? Vgl. *zu Hause, zu Wasser und zu Lande, zu*
Besuch. Und zwar heißt es *zu,* wenn der Zweck angegeben werden soll:

zur Reparatur, zur Reinigung, zum Studium
zur Arbeit, Untersuchung, Erholung, Kur
zum Essen, Schwimmen, Fußballspielen, Skifahren
Mein Wagen ist zur Reparatur, mein Mantel zur Reinigung.
Herr A. ist zur Arbeit, zum Essen, zur Untersuchung, zur Kur
(gegangen, gefahren).

Will man dagegen nicht den Zweck, sondern die Gleichzeitigkeit angeben, so heißt
es *bei:*

Ich war zur Untersuchung. Dabei (bei der Untersuchung) hat sich heraus-
gestellt...
Meine Frau ist zur Kur. Bei dieser Kur muß man...
Er war zum Schwimmen * und hat sich beim Schwimmen erkältet.*
Er war zum Skifahren * und hat sich beim Skifahren ein Bein gebrochen.*

Übung 7: Wo? In, an, auf oder zu?
1. Ich war gestern abend ...... Stadt, ... Hause, ... Theater, ... Vortrag.
2. Wo waren Sie gestern abend? ...... Oper, ... Fernsehturm, ... Kino,
...... Film mit Robert Redford. 3. Herr Ahrens ist z.Zt. (zur Zeit) nicht hier, er
ist ...... Urlaub, ... Ausland, ... Auslandsreise, er liegt ...... Krankenhaus. 4. Die Kinder sollen nicht ...... Straße, sondern ...... Garten, ... Hof
oder ...... Spielplatz spielen. 5. Wir waren in den Ferien ...... Holland, ...
Alpen, ... Mittelmeer, ... Capri. 6. Wo waren Sie in den Ferien? ......
Ausland, ... Helgoland, ... Bodensee, ... Schleswig-Holstein. 7. Ich

---

* auch einfach: *er war schwimmen, er war skifahren*

habe die Ferien diesmal ...... Schwarzwald, ... Chiemsee, ... Südtirol,
...... Hause verbracht. 8. Wo haben Sie diesmal die Ferien verbracht? ......
Dänemark, ... Nordsee, ... Sylt, ... Stuttgart. 9. Sie wohnen ......
Mainz, ... Stadtrand, ... Zentrum, ... Berliner Straße, ... Berliner
Straße 60. 10. Wo wohnen Sie? ...... Land, ... Vorort, ... Ausland, ...
3. Stock. 11. Wo wohnen Sie? ...... Frankfurt, ... Hotel Rex, ... Bahn-
hof, ... Pfeiferstraße, ... Pfeiferstraße 14. 12. Wo liegt Köln, Hamburg,
Konstanz, Hannover? ...... Rhein, ... Elbe, ... Bodensee, ... Nord-
deutschland, und zwar ...... Niedersachsen. 13. Wo haben Sie viel Interessantes
gesehen? ...... unserer Reise, ... Alpen, ... Sizilien, ... unserem Ausflug. 14. Wo hat es Ihnen gut gefallen? ...... Innsbruck, ... Zugspitze, ...
Nordsee, ... Teutoburger Wald.

Übung 8: Wo? Auf, bei, in oder zu?
1. Ich war ...... Post, ... Zahnarzt, nicht ...... Hause, ... Skifahren. 2. Wo
waren Sie? ...... Erholung, ... Ausflug, ... Frisör ...... Haarschneiden,
...... Freunden eingeladen. 3. Frau Meyer ist nicht ...... Hause, sie ist ......
Untersuchung ...... Arzt, ... Einkaufen, ... Müllers. 4. Wo ist Frau
Meyer? ...... Besuch ...... ihrer Tochter, ... Abendessen ...... Bekannten,
...... Urlaub ...... Holland. 5. Herr Wildermann arbeitet ...... AEG, ... Post,
...... Transportunternehmen, ... seinem Vater im elterlichen Geschäft. 6. Wo
arbeitet Herr Wildermann? ...... Deutschen Bank, ... Baustelle, ... Textil-
firma, ... Flugplatz. 7. Wo ist Ihr Auto, Ihre Uhr, Ihre Hose? ...... Inspektion,
...... Reparatur, ... Reinigung. 8. Ich habe Herrn Sondermann ...... Post,
zufällig ...... Straße, gestern ...... Hubers, neulich ...... Fußballspiel getroffen.
9. Wo haben Sie Herrn Sondermann letztes Mal getroffen? Zufällig ......
Ausflug, ... gemeinsamen Bekannten, ... Skatspielen, ... Sportplatz.
10. Frau Heinemann ist im Augenblick nicht ...... Hause, sie ist ...... ihrer
Nachbarin, ... Winterschlußverkauf, ... Terrasse. 11. Warum ist Frau
Heinemann im Augenblick nicht zu sprechen? Sie ist nicht ...... Hause, sie
ist ...... Frisör, ... Krankenbesuch, ... Beerdigung. 12. Wo treffen sie
sich regelmäßig? ...... Straße, ... Autobus, ... Haltestelle, ... Schach-
spielen.

Zusammenfassung

Übung 9: Wo?
1. Ich war mal schnell ...... Post, ... meinem Freund, ... Keller, ...
Bibliothek. 2. Er wohnt ...... Familie Wolters, ... Hotel Adler, ...
Schillerplatz, ... Freiheitsstraße, ... Freiheitsstr. 25. 3. Wo wohnt er? –
Ich weiß nicht genau, ich glaube, er wohnt ...... seinen Eltern, irgendwo ......
Stadtrand, ... Zentrum, ... Bahnhof. 4. Wo warst du gestern abend? ......
Hause, mit einem Freund ...... Kino, ... Studententreffen, ... Bekannten

...... Essen eingeladen. 5. Wo waren Sie im Sommer? ...... Skandinavien, ...
Schweiz, irgendwo ...... Meer, ... Schwäbischen Alb. 6. Wo waren Sie
in den Ferien? ...... Griechenland, ... Korfu, ... Nordsee, ... Rhein
...... Siebengebirge. 7. Wo haben Sie diesmal die Ferien verbracht? ......
Österreich, ... Bauernhof, ... Bekannten ...... ihrem Sommerhaus, ...
Gardasee. 8. Waren Sie schon einmal ...... Venedig, ... Zugspitze, ...
Südtirol, ... Chiemsee? 9. Wo hat es Ihnen besonders gut gefallen? ......
Wien, ... Kreta, ... Schweiz, ... Staffelsee, ... Dolomiten. 10. Wo
arbeitet er? ...... Ausland, ... ausländischen Firma, meistens ...... Hause,
...... Architekten.

Übung 10: Wo?

1. Wo arbeitet sie? ...... Apotheke, ... Finanzamt, als Sekretärin ......
Exportfirma, als Assistentin ...... Zahnarzt. 2. Wo haben Sie Ihre Brieftasche
verloren? – Ich muß sie ...... Autobus oder ...... Zug, ... unserem Ausflug,
...... Bergsteigen, ... unserer Bergtour verloren haben. 3. Wo haben Sie
Ihre Brieftasche wiedergefunden, Sie Glücklicher? ...... Hause ...... meiner
Schreibtischschublade, ... Manteltasche, ... Aufräumen, ... Fundbüro.
4. Wo hat er sich verletzt? ...... Hand, ... Fuß, ... Auge, ... Gesicht.
5. Wo hat er sich verletzt? ...... Aussteigen, ... Fußballspielen, ... Berg-
steigen, ... Baden. 6. Wo lernen Sie Deutsch? ...... Goethe-Institut, ...
Herrn Krist, ... Abendkurs, ... Privatlehrer. 7. Wohin müssen Sie Ihr
Geld, Ihre Schuhe, Ihre Uhr, Ihre Jacke bringen? ...... Bank, ... Schuh-
macher, ... Reparatur, ... Reinigung. 8. Wo haben Sie sich getroffen? ......
Café Roesler, ... gemeinsamen Bekannten, ... Bahnhofsrestaurant, ...
mir ...... Hause. 9. Wo haben Sie sich wiedergesehen? Vor einiger Zeit ......
Hamburg, zufällig ...... Ausflug, neulich ...... Konzert, kürzlich ......
Bekannten. 10. Er ist als Vertreter wenig ...... Hause, sondern viel ...... Rei-
sen, oft ...... Ausland, meistens ...... Frankreich oder ...... Schweiz.

Übung 11: Wo?

1. Wo möchten Sie gern sitzen? ...... Parkett, ... Mitte, ... Schatten, ...
Fenster. 2. Wo möchten Sie nicht gern sitzen? ...... 1. Reihe, ... Sonne,
...... Heizung, ... offenen Fenster, ... Zug. 3. Wo möchten Sie lieber
sitzen? ...... Zimmer oder ...... Terrasse, ... Seite oder ...... Mitte?
4. Wo möchten Sie gern wohnen? ...... Land, ... Einfamilienhaus, irgendwo
...... Süddeutschland, ... Nähe von Stuttgart. 5. Wo möchten Sie nicht
gern wohnen? ...... Ausland, ... meinen Verwandten, ... Stadtzentrum,
...... Mietskaserne. 6. Wo möchten Sie nicht gern wohnen? ...... Wasser,
...... Industriegegend, ... Friedhof, ... Tal, aber auch nicht ...... Berg,
sondern am liebsten ...... mittlerer Lage. 7. Wo suchen Sie eine Wohnung?
Möglichst nicht ...... Zentrum, möglichst nah ...... Universität, möglichst ......
Nähe meines Arbeitsplatzes, ... ruhiger und gesunder Lage. 8. Ich war pünkt-

lich ...... meinem Freund, ... Büro, ... Vorstellung, ... Bahnhof, ...
Konzert. 9. Wie war es ...... Konzert, ... Ausflug, ... Urlaub, ...
Griechenland, ... Kreta, gestern abend ...... Ihren Freunden, ... Faschings-
ball? 10. Wir haben ...... unserer Reise, ... Urlaub, ... Ferien, ...
Hamburg ...... Reeperbahn, ... Norderney viel Geld ausgegeben.

Verschiedenes

An bezeichnet die räumliche Nähe:
er wohnt am Bahnhof, am Zoo, an der Grenze, am Stadtrand
wir treffen uns an der Haltestelle, am Kinoeingang, an der Ecke
Am Theater findet man keinen Parkplatz.
am Schalter, an der Kasse
an der Reihe sein
studieren an der Universität X, Dozent, Professor an der Universität
am Anfang, in der Mitte, am Ende

Auf meinem Konto stehen nur noch DM 50,–.
Überweisen Sie den Betrag bitte auf mein Konto Nr. ... bei der
Stadtsparkasse X.

im Freien, unter freiem Himmel, im Hotel zu den Sternen
in der Sonne, im Schatten, am Himmel, auf dem Meer, auf der Erde
in Urlaub, in Ferien*
im Radio, im Fernsehen, in der Zeitung aber: *am Telefon*
in einem Brief, Gedicht, Buch
An welcher Stelle steht das? – Im 3. Vers, im 6. Kapitel, auf S. 15.

Übung 12: Wo? In, an, auf oder bei?
1. Wer ist jetzt ...... Reihe? Sind Sie ...... Reihe? 2. Ich habe das ...... Radio
gehört, ... Fernsehen gesehen und jetzt auch ...... Zeitung gelesen, nun weiß
ich wirklich Bescheid. 3. Theaterkarten gibt es nur ...... bestimmten Verkaufs-
stellen und ...... Abendkasse. 4. Wo steht das? ...... Faust, ... Lukasevange-
lium, ... Koran, ... Grundgesetz. 5 ...... welcher Stelle steht das? Das
steht gleich ...... 1. Kapitel, ... S. 3. 6. Wieviel habe ich noch ...... meinem
Konto? – Sie haben leider gar nichts mehr ...... Ihrem Konto. Sie haben Ihr Konto sogar überzogen. 7. Er hat ...... Universität Bochum begonnen und studiert
jetzt ...... Universität Aachen. 8. Das hat er mir ...... Telefon gesagt, und auch
...... Brief geschrieben. 9. Ich sitze nicht gern ...... Sonne, ich sitze lieber ......
Schatten. 10. Sie wohnen ...... Zoo, ... Stadtpark, ... Theater, ...
Schillerplatz. 11. Wo muß ich aussteigen? ...... Bahnhof, ... Rathaus, ...
Rathausplatz, ... nächsten Haltestelle. 12. Sie fanden keine Unterkunft und

---

* unterscheide: *er war 14 Tage in Urlaub, in Ferien,* aber: *im* (in seinem) *Urlaub, in den* (seinen) *Ferien war er auf Sylt.*

mußten . . . . . . Freien, ... freiem Himmel übernachten. 13. Heute sieht man nur Regenwolken . . . . . . Himmel. 14. Er ist Dozent . . . . . . Musikakademie, Professor . . . . . . Universität Marburg. 15. Wo haben Sie das gelesen? – Das habe ich . . . . . . Zeitung, ... Buch, ... Drama oder . . . . . . Erzählung von Brecht, ... Brecht, ... Kafkas Tagebüchern, ... Kafka gelesen.

3. woher?

Auf die Frage woher? antworten die beiden Präpositionen *von* und *aus.* Die Entscheidung ist nicht besonders schwierig, denn *aus* ist der Gegensatz von *in,* und *von* ist der Gegensatz von *an, auf, bei, zu.*

wo?	woher?
in der Schule, Kirche, Klinik	*aus der Schule, Kirche, Klinik*
im Kino, Theater, Konzert	*aus dem Kino, Theater, Konzert*
im Bad, Keller, Garten	*aus dem Bad, Keller, Garten*
in London, England, Europa	*aus London, England, Europa*
am Rhein, Meer, Strand	*vom Rhein, Meer, Strand*
an der Wand, Decke, Heizung	*von der Wand, Decke, Heizung*
auf der Terrasse, Straße, dem Hof	*von der Terrasse, Straße, dem Hof*
auf der Bank, Post, Polizei	*von der Bank, Post, Polizei*
beim Chef, Arzt, Frisör	*vom Chef, Arzt, Frisör*
zu Hause	*von (zu) Hause*
zur Arbeit, zum Essen, Schwimmen	*von der Arbeit, vom Essen, Schwimmen*

Beachte: Bei Richtungsangaben heißt es immer *von – nach.* Daher kommt es, daß man bei Reisen auf die Frage woher? oft mit *von* antwortet, wenn man weniger den Aufenthaltsort, sondern mehr den Ausgangspunkt betonen will: *Ich komme von Basel, mit dem Zug; von Paris, mit dem Wagen.*

Übung 13: Woher? Aus oder von?
1. Waren Sie beim Chef?   Ja, ich komme gerade . . . . . . Chef.
2.   zum Essen?   . . . . . . Essen.
3.   im Kino?   . . . . . . Kino.
4.   in Bremen?   . . . . . . Bremen.
5.   auf der Bank?   . . . . . . Bank.
6.   beim Arzt?   . . . . . . Arzt.
7.   in der Stadt?   . . . . . . Stadt.
8.   auf einem Ausflug?   . . . . . . Ausflug zurück.
9.   zu Hause?   . . . . . . Hause.
10.   im Ausland?   . . . . . . Ausland zurück.

Übung 14: Woher? Aus oder von?
1. Woher kommt er? ...... Büro, ... Arbeit, ... Theater, ...
   Zahnarzt.
2. Woher kommt sie? ...... Küche, ... Post, ... Garten, ...
   Frisör.
3. Woher nahm er das Buch? ...... Tisch, ... Bücherschrank, ...
   Heizung.
4. Woher stammt er? ...... Basel, ... Schweiz, ... Lande, ...
   Gegend von Köln.
5. Was ist das für eine Drucksache? ...... Ausland, ... Polizei, ...
   Finanzamt.
6. Woher kommt der Brief? ...... Amerika, ... Universität, ...
   Freund.
7. Welche Rechnung suchen Sie? ...... Siemens, ... Belgien, ...
   15. Februar.
8. Woher strömen die Menschen? ...... Theater, ... Fußballplatz, ...
   Fabrik.
9. Woher wissen Sie das? ...... Zeitung, ... Radio, ... Fernsehen, ...
   Erfahrung.
10. Was ist das für ein Souvenir? ...... Ferien, ... Türkei, ... unserer
    Reise.

Übung 15: Woher? Aus oder von?
1. Er stieg ...... Autobus, ... Moped, ... Taxi.
2. Sie stieg ...... Zug, ... Fahrrad, ... Straßenbahn.
3. Wann werden Sie ...... Urlaub, ... Schwaben, ... Bodensee zurück
   sein?
4. Wann kommt er gewöhnlich ...... Arbeit, ... Büro, ... Dienst
   nach Hause?
5. Sind Sie schon lange ...... Ihrer Reise, ... Krankenhaus, ... Untersuchung zurück?
6. Mir ist ein Stein ...... Herzen gefallen, als ich das erfuhr.
7. Der Wind riß ihm den Hut ...... Kopf, die Zeitung ...... Hand.
8. Ich trinke nicht gern ...... Flasche oder ...... Hand.
9. Was ist das für ein Kupferstich? ...... Nürnberg, ... unbekannten
   Nürnberger Meister, ... 16. Jahrhundert.
10. Warum ist Frau Berkel nicht da? – Sie ist noch nicht ...... Stadt, ...
    Einkaufen, ... Frisör zurück.

Zeitangaben

1. Tag, Woche, Monat, Jahr

Die Frage wann? entspricht der Frage wo? (wo auf der Zeitlinie?) und erfordert den Dativ:

am Morgen, Mittag, Nachmittag, Abend, aber: *in der Nacht*
am Montag, Dienstag, Mittwoch usw.
am 1. Mai, am Anfang, am Ende, am Wochenende

in dieser, in der vorigen, letzten, in der nächsten, kommenden Woche
in diesem, im vorigen, letzten, im nächsten, kommenden Monat
im Januar, Februar, März usw.
im Frühling, Sommer, Herbst und Winter
in diesem, im vorigen, letzten, im nächsten, kommenden Jahr
in diesem Jahrzehnt, im vorigen Jahrhundert, in den 50er Jahren

Regel: Tag und Tageszeit mit *an.* Alles übrige:
Woche, Monat, Jahreszeit, Jahr, Jahrhundert mit *in.*

Merke auch noch folgende Ausdrücke mit in:
im Lauf der Zeit, heute in acht Tagen = heute in einer Woche
heute in vierzehn Tagen = heute in zwei Wochen
im Augenblick fällt es mir nicht ein, im Augenblick ist er nicht zu sprechen =
jetzt nicht, später wieder

Ohne Präposition werden gebraucht:
1. die Jahreszahl: *1950* oder *im Jahre 1950*
2. die Feste: *Weihnachten, Neujahr, Ostern, Pfingsten*
3. Ausdrücke mit Anfang, Mitte, Ende:
   Anfang voriger, dieser, nächster Woche
   Mitte Mai, Mitte vorigen, diesen, nächsten Jahres
   Ende vorigen, diesen, nächsten Jahres

Beachte: Zeitangaben mit *zu* sind nicht temporal, sondern final:
zum Wochenende fahren wir aufs Land, zu Ostern fahren wir nach Rom
= um das Wochenende auf dem Land, um Ostern in Rom zu verbringen
Zu Weihnachten hat er mir ein Armband geschenkt = als Weihnachtsgeschenk

Übung 16: Wann: In oder an?
1. Wann kommt er zurück? ...... Montag, ... Mai, ... nächst .. Woche.
2. Wann fahren Sie ins Ausland? ...... nächsten Monat, ... Herbst, noch
...... dies .. Jahr. 3. Wann ist es kalt? ...... Abend und ...... Nacht, ...

Herbst und ...... Winter, ... Dezember und ...... Januar. 4. Wann fliegen Sie nach Berlin? ...... Weihnachten, ... kommenden Montag, ... Anfang nächsten Jahres. 5. Wann beginnen die Ferien? ...... Mittwoch, ... nächst .. Woche, ... 20. Juni. 6. Ein kleiner Fehler ...... Anfang wird ein großer ...... Ende. 7. Wann haben Sie Herrn Waldmann zuletzt gesehen? ...... letzten Freitag, ... Ostern, ... Ende voriger Woche. 8. Wann beginnt der Kursus? ...... 1. März, ... Anfang März, ... Frühjahr. 9. Wann verreisen Sie? ...... meinem Geburtstag, erst ...... Oktober, erst ...... Weihnachten. 10. Wann wurde die Rechnung bezahlt? ...... letzten Dienstag, ... Ende vorigen Monats, ... 10. April. 11. Wann kommt Ihr Besuch? ...... dies .. Sonntag, ... Pfingsten, ... Anfang nächsten Jahres. 12. Wann schließt die Ausstellung? ...... Ende dieses Monats, ... 31. März, ... kommenden Mittwoch. 13. Wann beginnt das Semester? ...... Herbst, ... Mitte Oktober, ... 15. Oktober. 14. Wann ist das Kleid fertig? ...... Freitag, ... Wochenende, ... Mitte nächster Woche. 15. Wann wurde Goethe geboren? ...... 18. Jahrhundert, ... Mitte des 18. Jahrhunderts, ... 1749, ... Jahre 1749, ... August 1749, ... Ende August 1749, ... 28. August 1749.

In den folgenden beiden Fällen kann die Umgangssprache Präposition und Artikel fortlassen:

1. bei den Tagen

Sonntag fahren wir zu meinem Bruder. Statt: *am Sonntag*

2. bei den Ausdrücken mit dies, vorig, letzt, nächst, kommend:

diese Woche	statt	*in dieser Woche*
vorigen Monat		*im vorigen Monat*
nächstes Jahr		*im nächsten Jahr*

d.h. es tritt in diesen beiden Fällen der reine Akkusativ ein.

Aber es heißt immer: *an diesem, am nächsten, am letzten Tag,* wie die Präposition auch immer erhalten bleibt, wenn es sich nicht um aktuelle Zeitangaben, sondern um Zeitangaben innerhalb einer Geschichte oder Erzählung handelt.

Übung 17: Wiederholen Sie noch einmal Übung 16 und geben Sie an, bei welchen Beispielen eine Präposition erforderlich ist und bei welchen nicht!

2. Uhrzeit

Die genaue Zeit wird mit *um* angegeben: *um 11.10 Uhr = um 10 nach 11*
Die ungefähre Zeit wird mit *um* ...... *herum* angegeben: *um 11 Uhr herum*
Bis spätestens 11 Uhr, kurz vor 11 Uhr heißt: *gegen 11 Uhr.*

Übung 18: Wann kommen Sie? Antworten Sie mit um, um ...... herum und gegen! (ca. = circa, ungefähr)
1. 9.15 Uhr   2. ca. 4 Uhr   3. bis spätestens $1/2$ 8   4. ca. $1/25$ 5. kurz vor 7 Uhr
6. 5.45 Uhr   7. bis spätestens $1/22$ 8. 20.15 Uhr   9. ca. 21.30 Uhr   10. 4.25 Uhr
11. ca. $1/2$ 1   12. kurz vor 12 Uhr (Mittag)

3. Zeitspanne

Bei der Angabe der Zeitspanne (Frist, nach Verlauf von ......) unterscheidet die deutsche Sprache, ob man vorausblickt oder ob man zurückblickt. Im ersten Fall heißt es *in* (mit Dat.), im zweiten *nach:*

> *Er kommt in 10 Min. wieder zurück. – Er kam nach 10 Min. wieder zurück.*
> *Er wollte in einer Stunde wieder zurück sein, aber er kam erst nach fünf Stunden wieder zurück.* *

Übung 19: Wann? In oder nach?
1. Ich springe mal schnell zum Briefkasten. Ich bin .... zwei Minuten wieder zurück. 2. Sie war beim Frisör und kam erst .... drei Stunden wieder zurück. 3. Die Arbeit muß .... spätestens einer Woche fertig sein. 4. Ich zieh' mich schnell um, ... fünf Minuten bin ich fertig. 5. Wann ist meine Wäsche fertig (gewaschen, gereinigt)? Ich brauche sie .... spätestens drei bis vier Tagen. 6. Er ist abgereist, ohne sich zu verabschieden, und hat uns erst .... vielen Wochen geschrieben. 7. Er wollte .... einer Stunde zurück sein, aber jetzt, ... fünf Stunden, ist er immer noch nicht zurück. 8. Er ist operiert worden. Die Ärzte hatten ursprünglich gemeint, er könne frühestens .... zwei Wochen entlassen werden. In Wirklichkeit ist er schon .... zehn Tagen entlassen worden. 9. Er ist abgereist und wollte uns .... spätestens vierzehn Tagen schreiben. In Wirklichkeit haben wir jetzt, ... zwei Monaten, immer noch nichts von ihm gehört. 10. Ich hatte gehofft, ... zwei Wochen in Urlaub fahren zu können, aber jetzt, ... fünf Wochen, sitze ich immer noch im Büro. 11. Die Autoreparatur sollte .... drei Tagen fertig sein, aber jetzt, ... acht Tagen, habe ich meinen Wagen immer noch nicht zurück. 12. Verzeihen Sie, daß ich Ihnen Ihr Buch erst .... so langer Zeit zurückgebe.

---

* Aber unterscheide: *Er hatte die Arbeit in einer halben Stunde fertig.* Hier ist nicht die Frist, sondern die reine Dauer gemeint, die durch *in* angegeben wird. Hier heißt die Frage: in wieviel Zeit?, oben heißt sie: wann?

18

4. Zeitspanne und Zeitdauer (vor und seit)

Vor nennt den Zeitpunkt oder Beginn eines Geschehens in der Vorzeitigkeit, *seit* dagegen die Dauer eines Zustandes, d.h. die Zeitspanne (Zeitstrecke), die seit dem mit *vor* genannten Zeitpunkt vergangen ist.

Wir haben uns vor zwei Monaten kennengelernt.	*Wir kennen uns seit zwei Monaten.*
Herr Ahrens ist vor einem Jahr nach Kanada emigriert.	*Herr Ahrens lebt seit einem Jahr in Kanada.*

In der folgenden Übung ist also nicht die Präposition zu finden, sondern das zu der Präposition *seit* passende Verb.

Übung 20: Bilden Sie die korrespondierenden Sätze mit seit!

1. Wann habt ihr euch kennengelernt? 2. Familie Behrens ist vor einigen Tagen in ein Hochhaus gezogen. 3. Ich habe meine Uhr schon vor zwei Wochen zum Uhrmacher gebracht. 4. Es hat schon vor Stunden angefangen zu regnen. 5. Vor einer halben Stunde hat es aufgehört zu regnen. 6. Vor zwei Wochen hat sie das Rauchen aufgegeben. 7. Wir sind schon vor drei Jahren aufs Land gezogen. 8. Wir sind erst vor zwei Tagen nach Hause zurückgekehrt. 9. Der Film hat schon vor einer Viertelstunde begonnen. 10. Vor kurzem hat er aufgehört zu arbeiten. 11. Sie hat vor einem Jahr angefangen, Medizin zu studieren. 12. Er hat sein Studium vor einem Jahr abgeschlossen. 13. Er hat sein Studium vor einem Jahr abgebrochen. 14. Herr Willms hat vor wenigen Wochen die Leitung einer Bank übernommen. 15. Frau Hahn hat im Mai ein gesundes Mädchen bekommen. 16. Er wurde schon vor zwanzig Jahren zum Mitglied der Akademie gewählt. 17. Das Museum wurde vor einer Stunde geschlossen. 18. Der Kranke ist vor einer halben Stunde eingeschlafen. 19. Ich habe ihn vor einem Jahr zum letzten Mal gesehen. 20. Das habe ich erst vor wenigen Stunden erfahren. 21. Davon hat man schon vor fünf Jahren gesprochen. 22. Ich habe vor einer Woche zum letzten Mal Zeitung gelesen. 23. Die Firma wurde schon vor mehr als hundert Jahren gegründet. 24. Sie haben vor fünf Monaten geheiratet.

Kausalangaben

Bei Kausalangaben muß man unterscheiden, ob es sich um eine **Handlung** oder um eine **Reaktion** handelt. Im ersten Fall heißt es *aus*, im zweiten *vor:*

Er half ihm aus Freundschaft.   *Sie zitterte vor Kälte.*
Er schwieg aus Höflichkeit.   *Sie konnte vor Aufregung*
                                           nicht sprechen.
Ich lese das nur aus Langeweile.   *Ich sterbe vor Langeweile.*

Beachte: Es heißt immer:

     aus Versehen und *mit Absicht*
     aus Mangel an Zeit, Gelegenheit
     aus diesem Grund, aus diesen, mehreren, vielen,
     persönlichen, politischen, folgenden Gründen

Auch das Verb *geschehen* wird immer mit *aus* verbunden:

     das geschah aus Vorsicht, aus Unvorsichtigkeit, aus Leichtgläubigkeit, aus Mißtrauen

Übung 21: Warum? Aus oder vor?
1. Warum haben Sie nichts gesagt? Ich habe nicht .... Stolz, nur .... Höflichkeit geschwiegen. 2. Warum lesen Sie das Buch? Das tue ich wirklich .... Interesse, nicht .... Langeweile. 3. Sie ist ganz krank .... Ungeduld, ... Aufregung, ... Ungewißheit. 4. Warum konnten Sie nicht schlafen? Ich konnte .... Hitze, ... Aufregung, ... Lärm nicht schlafen. 5. Warum tut er das? .... Überzeugung, ... Ehrgeiz, ... privaten Gründen. 6. Warum hat er ihm geholfen? .... Mitleid, ... Freundschaft, ... Kollegialität. 7. Warum hat sie nichts gesagt? Sie konnte .... Aufregung, ... Schrecken, ... Überraschung nichts sagen. 8. Warum hat er das getan? .... Überzeugung, ... freien Stücken (= freiwillig). 9. Was war mit ihr? Sie war außer sich .... Zorn, ... Aufregung, ... Empörung. 10. Warum schwieg er? .... Bescheidenheit, ... Zurückhaltung, ... verletztem Ehrgefühl. 11. Wie ist das geschehen? Nicht .... Absicht, sondern .... Versehen. 12. Warum ist das geschehen? .... Leichtsinn, ... Dummheit, ... Diplomatie, ... Dankbarkeit.

Übung 22: Warum? Aus oder vor?
1. Wir sterben .... Langeweile. 2. Sie kam nur .... Neugier. 3. Er tat das .... Rache, ... Eifersucht, ... Egoismus. 4. Sie war ganz blaß .... Kälte, ... Schrecken. 5. Er war ganz rot .... Zorn, ... Hitze, ... Aufregung. 6. Ich komme um .... Langeweile. 7. Ich sterbe .... Hunger, ... Durst. 8. Sie schrie .... Schmerzen, weinte .... Glück, lachte .... Freude. 9. Ich falle um .... Müdigkeit. 10. Er handelt nie .... Mitgefühl, sondern immer nur .... Berechnung. 11. Das geschah .... vielen Gründen, vor allem aber .... den folgenden. 12. Er

hört ihr nicht . . . . Interesse, sondern nur . . . . Höflichkeit zu. 13. Wir waren beide sprachlos, mein Kollege . . . . Verwunderung, ich . . . . Schrecken. 14. Die Arbeiter streiken . . . . Protest gegen die Entlassung ihrer Kollegen. 15. Viele Dinge tun die Menschen nur . . . . Gewohnheit.

Schlüssel

Übung 1

1. ins, in die, ins   2. in die, ins, in die   3. ins, ins, ins   4. zur, zur, zur (auf die, auf die, auf die)   5. zum   6. zur – ins   7. zur – in die   8. zu   9. in, in die, in den   10. zu, zu   11. zu, ins   12. zum   13. zum – zu   14. in die, in die, ins   15. zur, zur

Übung 2

1. aufs, ans, ins   2. nach, in die, nach   3. an die, in die, nach   4. ins, nach, in die   5. in den, nach, auf eine   6. ans, nach, an den   7. ins, nach, ins   8. ins, ans, nach   9. nach, ans, nach, in die   10. ans, nach, in die

Übung 3

1. nach Deutschland   2. ins Ausland   3. in die Schweiz   4. ans Mittelmeer   5. an den Rhein   6. an die See   7. in die Alpen   8. auf eine Insel   9. nach Kreta   10. in den Schwarzwald   11. an den Bodensee   12. ins Gebirge   13. an die Mosel   14. in, durch den Wald   15. aufs Land

Übung 4

1. auf die, in die, in den   2. auf den, ans, ins   3. an den, auf das, in den   4. ins oder zu   5. zu, zu oder an den   6. ins   7. auf die, in den, auf den   8. nach   9. auf die, in den, an die   10. auf den, auf den, in den

Übung 5

1. zur, ins, in die   2. in die, auf die, in den   3. nach, ans, in die   4. in die, ins, in die   5. ins, ins, ins   6. in die, in die, ins   7. ins oder zu   8. an den, an die, ans   9. in den, nach, an die   10. zur oder auf die, zur oder auf die, zum   11. ins, ins, ins   12. auf die, in den, in den, auf die   13. zum, nach, in die oder zur   14. in die, zur, zum   15. nach, zum, zum, zum   16. in die

Übung 6

1. nach, ins, zur   2. nach, nach, in die   3. auf die, in den   4. aufs, in die   5. in die, ins   6. nach, in den, an den   7. ins, auf den, in die   8. ins, zur oder auf die, zu   9. zum, zum, zur   10. zu mir, zu dir

Übung 7

1. in der, zu, im, in einem   2. in der, auf dem, im, in einem   3. in oder auf, im, auf einer, im   4. auf der, im, auf dem, auf dem   5. in, in den, am, auf   6. im, auf, am, in   7. im, am, in, zu   8. in, an der, auf, in   9. in, am, im, in der, –   10. auf dem, in einem, im, im   11. in, im, am, in der, –   12. am, an der, am, in, in   13. auf, in den, auf, auf   14. in, auf der, an der, im

Übung 8

1. auf der, beim, zu, beim   2. zur, auf einem, beim – zum, bei   3. zu, zur – beim, zum, bei   4. zu – bei, zum – bei, auf – in   5. bei, bei der, bei einem, bei   6. bei der, auf einer, bei einer, auf dem   7. zur, zur, zur   8. auf der, auf der, bei, beim   9. auf einem, bei, beim, auf dem   10. zu, bei, zum, auf der   11. zu, beim, zu einem, zu einer oder auf einer   12. auf der, im, an der, zum oder beim

Übung 9

1. auf der, bei, im, in der   2. bei, im, am, in der, –   3. bei, am, im, am   4. zu, im, zu einem oder auf einem, bei – zum   5. in, in der, am, auf der   6. in, auf, an der, am – im   7. in, auf einem, bei – in, am   8. in, auf der, in, am   9. in, auf, in der, am, in den   10. im, bei einer, zu, bei einem

22

Übung 10
1. in einer, beim, bei einer, bei einem   2. im – im, auf, beim, auf   3. zu – in, in der, beim, auf dem   4. an der, am, am, im   5. beim, beim, beim, beim   6. im, bei, in einem, bei einem   7. zur oder auf die, zum, zur, zur   8. im, bei, im, bei – zu   9. in, auf einem, im, bei   10. zu, auf, im, in, in der

Übung 11
1. im, in der, im, am   2. in der, in der, an der, am, im   3. im – auf, an der – in der   4. auf dem, in einem, in, in der   5. im, bei, im, in einer   6. am, in einer, an einem, im, auf einem, in   7. im, an der, in der, in   8. bei, im, in der, am, im   9. im, auf dem, im, in, auf, bei, auf dem oder bei dem   10. auf, im, in den, in – auf der, auf

Übung 12
1. an der, an der   2. im, im, in der   3. an, an der   4. im, im, im, im   5. an, im, auf   6. auf, auf   7. an der, an der   8. am, in einem   9. in der, im   10. am, am, am, am   11. am, am, am, an der   12. im, unter   13. am   14. an einer, an der   15. in der, in einem, in einem – in einer, bei, in, bei

Übung 13
1. vom   2. vom   3. aus dem   4. aus oder von   5. von der   6. vom   7. aus der   8. von einem   9. von (zu)   10. aus dem

Übung 14
1. aus dem, von der, aus dem, vom   2. aus der, von der, aus dem, vom   3. vom, aus dem, von der   4. aus, aus der, vom, aus der   5. aus dem, von der, vom   6. aus, von der, von einem   7. von, aus, vom   8. aus dem, vom, aus der   9. aus der, aus dem, aus dem, aus   10. aus den, aus der, von

Übung 15
1. aus dem, vom, aus dem   2. aus dem, vom, aus der   3. aus dem, aus, vom   4. von der, aus dem, aus dem   5. von, aus dem, von der   6. vom   7. vom, aus der   8. aus der, aus der   9. aus, von einem, aus dem   10. aus der, vom, vom

Übung 16
1. am oder –, im, in der nächsten oder nächste   2. im nächsten oder nächsten, im, in diesem oder dieses   3. am – in der, im – im, im – im   4. –, am kommenden oder kommenden, –   5. am oder –, in der nächsten oder nächste, am   6. am, am   7. am letzten oder letzten, –, –   8. am, –, im   9. an, im, –   10. am oder –, –, am   11. an diesem oder diesen, – oder zu, –   12. –, am, am oder –   13. im, –, am   14. am oder –, am, –   15. im, –, –, im, im, –, am

Übung 18
1. um   2. um .... herum   3. gegen   4. um .... herum   5. gegen   6. um   7. gegen   8. um   9. um .... herum   10. um   11. um .... herum   12. gegen

Übung 19
1. in   2. nach   3. in   4. in   5. in   6. nach   7. in, nach   8. in, nach   9. in, nach   10. in, nach   11. in, nach   12. nach

Übung 20
1. kennt ihr euch   2. wohnt in einem   3. ist beim Uhrmacher   4. es regnet schon   5. regnet nicht mehr   6. raucht nicht mehr   7. wohnen/leben auf dem Land   8. sind erst wieder zu Hause   9. läuft   10. arbeitet nicht mehr   11. studiert Medizin   12. ist fertig mit   13. studiert nicht mehr   14. leitet eine Bank/ist Leiter einer Bank   15. ist Mutter eines gesunden Mädchens   16. ist Mitglied   17. ist geschlossen   18. schläft   19. nicht mehr   20. weiß ich   21. spricht man   22. keine Zeitung mehr gelesen   23. besteht/existiert   24. sind verheiratet

Übung 21

1. aus 2. aus 3. vor 4. vor 5. aus 6. aus 7. vor 8. aus 9. vor 10. aus 11. mit, aus 12. aus

Übung 22

1. vor 2. aus 3. aus 4. vor 5. vor 6. vor 7. vor 8. vor 9. vor 10. aus 11. aus 12. aus
13. vor 14. aus 15. aus

Übungen zu synonymen Verben

ändern – wechseln – tauschen _____

ändern A

= anders machen
> *Wir haben unsere Pläne geändert. – Er hat seine Meinung geändert. –*
> *Ich muß meinen Mantel ändern lassen.*

sich ändern = anders werden
> *Das Wetter ändert sich. – Die Zeiten, die Verhältnisse haben sich sehr*
> *geändert.*

Das Verb *(sich) verändern* ist gefährlich. Der Ausländer benutzt es am besten gar nicht, sondern statt dessen nur *ändern*, das immer richtig ist. Es gibt nur eine Situation, wo man es gebrauchen muß, nämlich wenn man sich nach längerer Zeit wiedersieht:
> *Sie haben sich gar nicht (kaum, sehr, stark) verändert.*

wechseln A

Während es sich bei *ändern* um ein und dieselbe Sache handelt, die anders wird, handelt es sich bei *wechseln* immer um zwei Dinge, von denen das eine an die Stelle des anderen tritt.
> *Der Kinobesucher wechselt den Platz. – Können Sie mir 20 DM wechseln? –*
> *Der Student will die Universität wechseln.*

Übung 1: (sich) ändern oder wechseln?
1. Der Arbeiter .... die Stelle. 2. Die Firma .... den Preis.
3. .... Sie die Wortstellung! 4. Ich muß meine Krawatte ....
5. Die Kinos .... jeden Freitag das Programm. 6. Bei uns ....
nicht viel. 7. Ein Sänger ist erkrankt; deshalb muß das Programm ....
werden. 8. Dieser Abschnitt ist nicht gut; ich muß ihn .... 9. Die
Wirtschaftslage hat .... 10. Der Autofahrer muß den Reifen ....
11. Im Leben .... Glück und Unglück immerzu. 12. In vielen Ländern
.... durch die Industrialisierung das Wetter. 13. Das alles ist schlimm und
unerfreulich; aber wir können es leider nicht .... 14. Können Sie mir
50 DM ....? 15. Eine andere Betonung kann den Sinn eines Satzes völlig
.... 16. Ein Hochstapler .... ständig den Namen. 17. Ich muß
mein Kleid .... lassen. 18. Sie .... zwanzigmal am Tage ihre
Meinung. 19. Das Chamäleon .... seine Farbe je nach der Umgebung.
20. Niemand kann seine Natur .... 21. Das ist natürlich sehr betrüblich;
aber leider läßt sich nichts daran .... 22. Die Bettwäsche wird alle acht

Tage .... 23. Ich habe mit ihm schon viele Briefe .... 24. Der
Pilot hat den Kurs .... 25. Die Mode .... ständig.

Übung 2: Erklären Sie den Unterschied zwischen
1. Programmänderung und Programmwechsel 2. Kursänderung und Kurswechsel 3. Stimmungsänderung und Stimmungswechsel 4. Kleideränderung und Kleiderwechsel 5. Klimaänderung und Klimawechsel

Übung 3: Setzen Sie das richtige Grundwort ein!
1. Preis............ 2. Brief............ 3. Geld............ 4. Meinungs
.... 5. Schrift............ 6. Stellungs............ 7. Programm
.... 8. Szenen............ 9. Rad-, Reifen-, Pferde-............
10. Schicht............ 11. Namens............ 12. Kurs............ 13. Jahres
.... 14. Wort............

Übung 4 (zur Wiederholung): Was ändert man, und was wechselt man?

tauschen (meist geschäftlich)

> *Die Philatelisten tauschen Briefmarken. – 4-Zimmer-Wohnung gegen 3-Zimmer-Wohnung zu tauschen gesucht.*

E i n e Person kann ihren Platz nur *wechseln;* zwei Personen können ihre Plätze *wechseln* oder *tauschen,* weil hier ein Platz für den anderen gegeben wird.

austauschen (höflich oder offiziell)

> *Freunde tauschen ihre Gedanken aus. – Die Länder tauschen Botschafter und Gesandte aus. – Die Verwundeten und Gefangenen werden ausgetauscht.*

umtauschen (etwas Gekauftes)

> *Gestern habe ich diesen Schirm bei Ihnen gekauft und möchte ihn gern umtauschen. – Die gekaufte Ware kann nur innerhalb von drei Tagen umgetauscht werden.*

Übung 5: tauschen, austauschen oder umtauschen?
1. Wollen wir die Plätze ....? 2. Die Regierungen haben Noten
.... 3. Ich möchte nicht mit ihm .... (= Ich möchte nicht
an seiner Stelle sein). 4. Kann ich das Hemd ....? 5. Einige deutsche und französische Universitäten haben Professoren und Studenten

.... 6. Die Philatelisten treffen sich, um Briefmarken ....
7. Zu Neujahr werden von allen Regierungen Grußbotschaften ....
8. Die Kinder sammeln Zigarettenbilder und .... sie. 9. Die Wissenschaftler haben auf dem Kongreß ihre neuesten Erkenntnisse ....
10. Als es noch kein Geld gab, mußte man ...., wenn man etwas erwerben wollte.

Übung 6: Ergänzen Sie Tausch, Austausch oder Umtausch!
1. Gedanken........... 2. .... recht 3. Briefmarken...........
4. .... geschäft 5. Gefangenen........... 6. Waren...........
7. .... handel 8. Deutscher Akademischer .... dienst

verwechseln A mit

= irrtümlich jn oder et. für jn oder et. anderes halten
Sie verwechseln mich mit Herrn N. – Verwechseln Sie nicht „wechseln" und „ändern"! – Die beiden Brüder sind zum Verwechseln ähnlich.

vertauschen A

= irrtümlich oder böswillig et. statt et. anderem nehmen
Jemand hat meinen Mantel vertauscht. – Mein Schirm ist vertauscht worden.

Übung 7: verwechseln oder vertauschen?
1. Jetzt habe ich dummerweise die Hausnummer .... 2. Jemand hat meinen Hut .... 3. In der Theatergarderobe ist sein Mantel .... worden. 4. Viele Ausländer.............. immer wieder die Zeiten von „bitten" und „bieten". 5. Ich habe Ihren Wagen mit dem von Herrn N...............

bieten – anbieten

anbieten DA

bezieht sich auf Dinge, die man unmittelbar in Besitz nehmen oder für sich verwerten kann. Nur Personen und Institutionen können anbieten.
jm eine Zigarette, ein Glas Wein, ein Zimmer anbieten
jm eine Stelle, eine Professur, ein Stipendium anbieten
jm seine Hilfe, seine Dienste, seine Freundschaft anbieten

bieten DA

dagegen bezieht sich auf Genüsse und Vorteile, die nicht unmittelbar greifbar sind.

Meine Freunde haben mir viel Interessantes geboten, darunter auch mehrere Ausflüge und einige Theaterbesuche.
Die Firma bietet tüchtigen Angestellten gute Aufstiegsmöglichkeiten.
Diese Lösung bietet viele Vorteile.

Allerdings sagt man auch: *was, wieviel bieten* (= bezahlen) *Sie für den Wagen?*

Übung 8: bieten oder anbieten?

1. Was dürfen wir Ihnen ...., Bier oder Wein? 2. Was dürfen wir Ihnen ...., einen Konzert- oder lieber einen Theaterbesuch? 3. Berlin .... den Touristen viele bedeutende Museen. 4. Der Kuchen ist ganz trocken, ich kann Ihnen leider nichts davon .... 5. Darf ich Ihnen meinen Platz ....? 6. Die Möglichkeit, Gutes zu tun, ... sich jeden Tag. 7. Die Reise hat allen Teilnehmern etwas Besonderes .... 8. Im Sommerschlußverkauf werden alle Sommersachen zu ganz niedrigen Preisen .... 9. Er wird nach Deutschland fahren, wenn sich eine Gelegenheit dazu .... 10. Er hat das Studium gewählt, das ihm die besten Berufsaussichten .... 11. Man hat ihm eine Stelle bei Siemens .... 12. Nach dem Erdbeben .... (Impf.) die Stadt einen schrecklichen Anblick. 13. Er hat dem Verlag sein Manuskript .... 14. Das Hotel .... seinen Gästen allen Komfort. 15. Ich kann Ihnen natürlich keine Garantie ...., daß es Ihnen dort gefallen wird. 16. Ein Abonnement .... viele Vorteile. 17. Man hat ihm ein Stipendium .... 18. Dieses Stipendium .... ihm die Möglichkeit, sich zu spezialisieren. 19. Das schlechte Wetter .... einen guten Vorwand, den Ausflug abzusagen. 20. Er war so freundlich, uns seine Hilfe .... 21. Auf der Auktion sind zwei Gemälde von Rembrandt .... worden. 22. Für diese Gemälde sind phantastische Preise .... worden.

beschließen – sich entschließen – sich entscheiden

beschließen

nennt die bloße Tatsache des Beschlusses:

Ich habe beschlossen, heute abend zu Hause zu bleiben.

sich entschließen

setzt Zögern und Überlegung voraus*:

Nach längerem Zögern habe ich mich nun doch entschlossen, die neue Stelle anzunehmen.

Ein Entschluß ist immer etwas Persönliches. Nur Personen können sich *entschließen*. So kennt die dt. Sprache auch nur den „schweren Entschluß"; einen „schweren Beschluß" gibt es nicht (höchstens im Sinne von „wichtig, folgenschwer").

Ebenso wird Unentschlossenheit immer durch *sich entschließen* ausgedrückt:

Ich kann mich nicht entschließen.

Man braucht also nur zu unterscheiden, ob es sich um einen wichtigen und schwierigen Entschluß handelt oder nicht.

Übung 9: beschließen oder sich entschließen?
1. Meine Firma hat ...., mich nach Indien zu versetzen. 2. Ich habe ...., diese Versetzung anzunehmen. 3. Der Student hat ...., erst im nächsten Jahr sein Examen zu machen. 4. Sie dürfen nicht länger zögern, Sie müssen ....
................! 5. Was haben Sie...........................? 6. Wie haben Sie ....? 7. Er ist ein unentschlossener Mensch, nie kann er .... 8. Die Regierung hat ....
..........., die Einfuhren einzuschränken. 9. Anna hat ....
........., Krankenschwester zu werden. 10. Das Parlament hat ....
................, die Steuern zu senken. 11. Der Patient kann .... nicht
..................., sich operieren zu lassen.

sich entschließen (zu), sich entscheiden (für)

Beide Verben schließen Zweifel, Zögern und Überlegen ein. Aber *sich entschließen* betont mehr die *Tatsache* der Entschließung, *sich entscheiden* mehr die *Richtung* (oder den Gegenstand) der Entschließung. Man könnte sagen: Der *Entschluß* ist die Wahl zwischen ja und nein, d.h. *ob* etwas geschehen soll oder nicht; die *Entscheidung* dagegen ist die Wahl zwischen diesem und jenem, d.h. *was* geschehen soll.

Übung 10: sich entschließen (zu) oder sich entscheiden (für)
1. Ich weiß nicht, wo .... ich mich .... soll, ... ein .... Italienoder ein .... Griechenlandreise. 2. Er kann sich nicht .... ein .... Kompromiß

---

* *sich entschließen* bezeichnet den Vorgang der Entschließung und sein Ergebnis, *entschlossen sein* bezeichnet den Zustand der Entschlossenheit

mit seinem Gegner .... 3. Man hat ihr eine Stelle als Sekretärin und
eine als Assistentin angeboten, und nun weiß sie nicht, wo .... sie sich ....
.... soll. 4. Achill konnte wählen zwischen einem langen, aber ruhmlosen und einem kurzen, aber ruhmvollen Leben. Er .... sich .... d.... letztere. 5.
Die Sache ist ganz unklar. Ich weiß gar nicht, wo ich dran bin (= was ich davon denken soll) und kann mich .... nichts ....

kennen – wissen

Zwischen *kennen* und *wissen* besteht zunächst ein Formalunterschied: *kennen* hat
ein Objekt, *wissen* einen Nebensatz.

> *Kennen Sie seine Adresse? – Wissen Sie, wo er wohnt?*
> *Kennen Sie den Titel des Buches? – Wissen Sie, wie es heißt?*

> *Man kennt Wörter, Zitate, Bücher, Personen, Städte.*
> *Man weiß, daß – wo – wie – wann – durch wen etwas geschieht.*

Als Objekte von *wissen* darf der Anfänger nur unbestimmte Pronomen gebrauchen:
> *er weiß das, viel, wenig, alles, nichts*

Außer dem formalen gibt es aber auch noch einen sachlichen Unterschied:

kennen

schließt Umgang und Erfahrung ein. Es bezeichnet eine Bekanntschaft (mit jm oder
et.), die man in längerer Zeit erworben hat.

wissen

dagegen ist vor allem eine theoretische Kenntnis, über die man äußerlich verfügt. –
So gebrauchen wir bei Wort, Beispiel, Lösung, Adresse, Haus-, Telephonnummer
usw. *wissen* statt *kennen:*

> *Wissen Sie ein Beispiel* = können Sie sagen?
> *Wissen Sie eine bessere Möglichkeit, Lösung* = sehen Sie?
> *Wissen Sie seine Adresse, Telephonnummer* = haben Sie?

Den Unterschied zwischen *wissen* und *kennen* kann noch folgendes Beispiel verdeutlichen:

> *Wissen Sie den Verfasser des Buches* = wissen Sie, wie er heißt?
> *Kennen Sie den Verfasser des Buches* = kennen Sie ihn persönlich?

31

Auf die Frage „*Wissen Sie den Weg*"? könnte man die Antwort konstruieren:
Ich weiß ihn zwar, aber ich kenne ihn nicht.
d.h. ich weiß zwar, wie man gehen muß, aber ich bin den Weg noch nie gegangen.

können

vertritt *kennen* und *wissen* immer in der Bedeutung „gelernt haben":
Können Sie Deutsch? – Er kann seine Lektion nicht. – Sie kann das Gedicht auswendig.

Beachte noch die Idiome:
$\left.\begin{array}{l} \textit{(gut, nicht) Bescheid wissen in D} \\ \textit{sich (gut, nicht) auskennen in D} \end{array}\right\}$ = gut, nicht kennen

Er weiß in dieser Stadt Bescheid = kennt sich in ihr aus
Ich weiß in diesen Dingen nicht Bescheid = kenne mich in ihnen nicht aus =
verstehe nichts davon

Übung 11a: kennen, können oder wissen?
1. .... Sie Herrn Ahrens? 2. .... Sie, wo er wohnt? 3. Er ....
alles. 4. .... ist Macht. 5. .... Sie Venedig? 6. Ich möchte gern einmal ...., was das gekostet hat. 7. .... Sie den Weg? 8. Er ....
den „Faust" in- und auswendig (= ganz genau). 9. Er .... den halben „Faust"
auswendig. 10. Ich .... auch nicht, was man da machen soll. 11. ....
Sie vielleicht zufällig seine Telephonnummer? 12. .... Sie die Einzelheiten
der ganzen Affäre? 13. .... Sie ein Mittel gegen Schnupfen? 14. Ich
.... auch keinen Rat. 15. Wenn ich das .... hätte! 16. .... Sie
das Märchen „Vom Fischer und seiner Frau"? 17. .... Sie, was ZK bedeutet? – Nein, das .... ich nicht, aber vielleicht .... es mein Kollege.
18. Ein Polyglott ist ein Mensch, der viele Sprachen .... 19. In der Stadt
.... oft ein Nachbar den anderen nicht. 20. In der Stadt .... oft ein
Nachbar nichts vom anderen. 21. .... Sie, wo man einen soliden Ge-
brauchtwagen kaufen kann? 22. Kaufleute sind oft gute Menschenkenner. Sie
.... sofort, was für Menschen ihre Kunden sind.

Übung 11b: kennen, können oder wissen?
1. .... du, wer der Herr dort ist? .... du ihn? 2. Nein, ich ....
es nicht. Ich .... ihn nicht. 3. .... Sie schwimmen? – Ja, ich ....
schwimmen. 4. .... Sie, wo Herr Behrens wohnt? 5. Leider nicht. Ich
.... ihn zwar, aber ich .... nicht, wo er wohnt. 6. Ich .... auch
keinen Ausweg. 7. Ich .... ihn nur von Ansehn, aber nicht persönlich. 8. Er
.... nicht Auto fahren. 9. .... Sie einen guten Augenarzt?
10. .... Sie Näheres (Genaueres)? – Nein, ich .... leider auch nichts

Sicheres. 11. Der Vater will nichts von unserem Plan .... (= er billigt ihn nicht). 12. Navycut, der Tabak für .... 13. Wer ...., wann wir uns wiedersehen. 14. Er .... Bescheid. 15. Man muß sich zu helfen .... 16. You never know = Man kann nie ....

denken – bedenken – gedenken – nachdenken ____

denken

Der Mensch denkt, und Gott lenkt. – Er dachte: das ist doch nicht möglich! – Ich denke, es wird alles gut gehen. (besser als: Ich denke, daß alles gut gehen wird. – Bei *denken* und *sagen* ist es stilistisch schöner, wenn man daß-Sätze vermeidet.)

denken ist ein Synonym von glauben, meinen

denken hat nie die Bedeutung von „beabsichtigen, planen", sondern immer nur die von glauben, meinen. „Beabsichtigen, planen" dagegen heißt *gedenken*, was aber nur in der Hochsprache gebraucht wird. Die Umgangssprache sagt *vorhaben*, oder einfach *wollen*.

Ich gedenke, in den Ferien nach Deutschland zu fahren.
Ich habe vor, in den Ferien nach Deutschland zu fahren.

denken an A

hat ungefähr die Bedeutung von *sich erinnern an*.
Der Gefangene denkt immerzu an seine Eltern und die Heimat.
Denken Sie an das Buch! = Vergessen Sie das Buch nicht!
Ich habe gar nicht daran gedacht. = Ich habe es ganz vergessen.
Eine emphatische Ablehnung bedeutet das Idiom
Ich denke nicht daran, das zu tun. Auch
Es fällt mir nicht ein, das zu tun
= es kommt gar nicht in Frage,
es ist ganz ausgeschlossen,   daß ich das tue.

bedenken A

heißt *denken an* in der Bedeutung: sich vorstellen, sich klarmachen.
Herr, lehre uns bedenken, daß wir sterben müssen, auf daß wir klug werden!
Ich habe nicht bedacht, daß die Sache auch mißlingen könnte.
Bedenken Sie die Schwierigkeiten! – Bedenken Sie, wie schwierig das ist!

nachdenken über A

= (sich D) überlegen A
Ich habe lange über Ihren Vorschlag nachgedacht = ich habe (mir) Ihren Vorschlag gut überlegt
Denken Sie noch einmal darüber nach! = Überlegen Sie (sich) das noch einmal!

Übung 12: denken (an), bedenken, gedenken oder nachdenken?
Erklären Sie die Situationen, in denen die einzelnen Sätze gesprochen sind! Beachten Sie, daß es manchmal zwei Lösungen gibt! Die Beispiele mit *nachdenken* bilden Sie auch mit *überlegen*!
1. Ich habe gar nicht ...., daß sie heute Geburtstag hat. 2. Wir .... nicht ...., in dieser Sache etwas zu tun. 3. Ich habe einen Fehler gemacht, ... er. 4. Wollen Sie bitte einmal ...., wie man dieses Problem lösen könnte! 5. .... Sie, was es bedeutet, wenn Sie ablehnen! 6. Ich kann mich nicht sofort entscheiden. Ich muß zuerst .... Ihren Vorschlag .... 7. .... Sie die Folgen! 8. Ich ...., die Sache sei schon längst erledigt. 9. Haben Sie schon einmal ...., wie es jetzt weitergehen soll? 10. Das kann ich mir .... 11. .... Sie ...., daß Sie morgen eine Stunde früher kommen müssen! 12. Ich habe gar nicht ...., wie sehr ich Sie mit dieser Nachricht betrüben würde. 13. .... du ...., daß wir heute abend eingeladen sind? 14. Lassen Sie sich Zeit! Ich möchte Sie bitten, einmal in aller Ruhe .... die Sache .... ! 15. Wer hätte ...., daß die Geschichte ein solches Ende nehmen würde! 16. Haben Sie ...., mir das Buch mitzubringen? 17. Er ist noch hier? Ich ...., er ist schon längst abgereist. 18. Was .... Sie, in den Ferien zu tun? 19. Hast du auch ...., daß die Dinge in der Praxis ganz anders aussehen? 20. Haben Sie inzwischen einmal .... meinen Vorschlag ....? 21. .... ich gar nicht .... habe, ist, daß wir nächste Woche schon Ostern haben. 22. Die Menschen ...., es böse zu machen. Gott aber ...., es gut zu machen.

enden – beenden

Das Konzert endete erst um 11 Uhr. – Der Weg endet hier. – Ich habe den Brief noch nicht beendet.

enden ist intr., und *beenden* ist tr., das ist der ganze Unterschied. In der Umgangssprache gebraucht man aber *enden* selten, man sagt meistens *zu Ende sein* oder *zu Ende gehen.*
Das Konzert war erst um 11 Uhr zu Ende. – Der Weg ist hier zu Ende. – Die Ferien sind am 3. Sept. zu Ende. – Die Ferien gehen jetzt zu Ende.
Immer heißt es
meine Geduld ist zu Ende oder *erschöpft*
meine Mittel, mein Geld ist zu Ende oder *alle*

Beachte:
Den einfachen Imperativ „Beenden Sie!" und die einfache Frage „Haben Sie beendet?" gibt es nicht, weil im Deutschen ein transitives Verb immer ein Objekt erfordert. Man sagt statt dessen
Machen Sie Schluß! oder *Hören Sie auf!*
Sind Sie fertig?

Übung 13: enden, beenden oder zu Ende sein?
1. Wann............ die Ferien? 2. Bis Montag muß ich meine Arbeit............
3. Wer hätte gedacht, daß die Sache so........... würde! 4. Als er seine Arbeit
............, war er ganz glücklich. 5. Wie hat die Geschichte............? 6. An
den Polen........... der Winter nie. 7. Napoleon hat sein Leben auf St. Helena
.... 8. Der Dreißigjährige Krieg............ 1648. 9. Wie wird das
............? 10. Wir müssen die Diskussion für diesmal............ 11. Wird das
Kriegführen jemals............? 12. Alle warten darauf, daß der Winter endlich
.... 13. Hier............ die Autobahn. 14. Viele Studenten............
ihr Studium nicht, sondern brechen es ab. 15. Der Zweite Weltkrieg............
1945, aber der Kalte Krieg........... erst 1990.

warten (auf) – erwarten – abwarten _____

warten auf A

gebraucht man, wenn es unbestimmt (oder unbekannt) ist, wann das Erwartete kommt.

Ich warte schon seit zwei Stunden auf meinen Freund. Wer weiß, wann er kommt! – Sie wartet vergeblich auf eine Antwort. – Wollen Sie bitte auf mich warten, bis ich zurückkomme!

erwarten A

gebraucht man, wenn die Erwartung bestimmt ist.

Wir erwarten morgen Gäste. – Ich erwarte Sie um 4 Uhr in meiner Wohnung.

In der Form *von jm, et. erwarten* drückt es besonders die moralische Forderung aus: *Er erwartet von uns, daß wir ihm helfen.*

abwarten

ist seltener und bedeutet ruhig warten, sich gedulden.

Warten Sie zuerst seine Antwort ab, bevor Sie weitere Schritte unternehmen. – Warten wir ab und sehen wir, wie es weitergeht.

Übung 14: warten auf, erwarten oder abwarten?
1. Für unseren Ausflug müssen wir zuerst besseres Wetter .... 2. Ich .... dich um 10 Uhr. 3. Ich werde vor dem Kino ..... dich .... 4. Ich freue mich so auf sein Kommen. Ich kann es gar nicht .... 5. Ich habe nun zwei Stunden vergeblich ...., jetzt reißt mir allmählich die Geduld. 6. .... und Tee trinken! (idiom. = wir müssen Geduld haben) 7. Natürlich .... Sie, etwas Angenehmes von mir zu hören. 8. Die Welt gehört denen, die .... können. (Sprichw.) 9. Ich .... von Ihnen, daß sie pünktlich zum Dienst kommen. 10. Wenn ich um 9 Uhr noch nicht da bin, ... Sie bitte nicht länger ..... mich! 11. Frau Ahrens .... im Mai ihr erstes Kind. 12. Wir .... euch, daß ihr uns helft. 13. Seit langem .... ich ...., daß er mir endlich mein Buch zurückgibt. 14. Wir wissen es selber nicht, ... uns dürfen Sie keine Auskunft .... 15. Ich möchte mich noch nicht äußern. Ich möchte zuerst ...., was mein Kollege dazu sagt.

probieren – anprobieren – ausprobieren _____

probieren A

gilt für Nahrungs- und Genußmittel: essen, trinken, rauchen.
Haben Sie schon unsere Hausmarke probiert? Probieren Sie mal!

anprobieren A

gilt für Kleidungsstücke, für alles, was man am Körper trägt.
Darf ich die Jacke einmal anprobieren?
(Bei Hut und Brille, die man *auf* dem Kopf, *auf* der Nase trägt, sagt man *aufprobieren.*)

ausprobieren A

gilt für technische Dinge, für Maschinen und Apparate. *Ausprobieren* heißt gründlich, systematisch probieren, testen.
Kann ich die Schreibmaschine einmal ausprobieren?

Übung 15: probieren, anprobieren oder ausprobieren?
1. Wir haben unsere neue Waschmaschine noch gar nicht .... 2. In einer Winzergenossenschaft kann man alle Weine, die angeboten werden, ... Das heißt dann Weinprobe. 3. Schuhe kann man nicht kaufen, ohne sie .... 4. Ich weiß nicht, ob Ihnen unser Kuchen schmeckt. .... Sie mal! 5. .... geht über Studieren. (Sprichw.) D.h., die Praxis ist wichtiger als die Theorie. 6. Ich weiß nicht, welcher von den beiden Fotoapparaten für mich besser ist. Darf ich sie beide einmal ....? 7. Alle sagen, die erste Zigarette, die sie .... haben, schmeckte fürchterlich. 8. Ich sehe schon, der Mantel ist mir zu klein. Ich brauche ihn gar nicht .... 9. Eine Probefahrt mit einem neuen Automodell machen, bedeutet, das neue Modell einmal .... 10. Haben Sie schon unseren Rotwein ....? .... Sie mal! .... kostet nichts. 11. Auf einer Teststrecke für Autos werden die neuen Bremsen ....

hindern – behindern – verhindern

behindern A

bedeutet erschweren, belästigen, beeinträchtigen und bezieht sich gewöhnlich auf Funktionen und Geschehnisse, nicht auf Personen.
Anhaltende Schneefälle haben den Verkehr stark behindert.

verhindern A

heißt unmöglich machen und bezieht sich nicht auf Personen.
Ein großes Unglück ist im letzten Augenblick verhindert worden.

Beachte dagegen: *verhindert sein* = nicht können, das nur von Personen gebraucht wird.
Ich konnte leider nicht kommen. Ich war verhindert.

hindern A

mit Inf. + zu heißt unmöglich machen und bezieht sich auf Personen.
Das schlechte Wetter hat uns gehindert zu kommen = *hat unser Kommen verhindert.*

Vgl. folgenden Unterschied (Wechsel der Präposition!):
Der Verband behindert mich beim Schreiben = macht mir das Schreiben schwer.
Der Verband hindert mich am Schreiben = macht mir das Schreiben unmöglich.

Vgl.: Eine *Verkehrsbehinderung* erschwert den Verkehr, ein *Verkehrshindernis* legt den Verkehr still.

Übung 16: hindern, behindern oder verhindern?
1. Übertriebene Forderungen haben eine Einigung .... 2. Nichts soll uns ...., unseren Plan durchzuführen. 3. Ich kann leider nicht teilnehmen, ich bin .... 4. Die Kleider haben den Schiffsbrüchigen schwer .... und seine Rettung fast .... 5. Viel Arbeit hat mich leider (daran) ...., Ihnen rechtzeitig zu schreiben = hat leider ...., daß ich Ihnen rechtzeitig schrieb = hat meine rechtzeitige Antwort leider .... 6. Er ist ein .... Dichter, ein .... Genie. 7. Was .... uns, die Wahrheit zu sagen? 8. Zeitmangel hat mich leider an der Durchführung meines Plans .... = hat leider die

Durchführung meines Plans .... 9. Der Nebel .... die Sicht.
10. Tun Sie, was Sie für richtig halten. Ich will Sie nicht .... 11. Er hat
das Unglück kommen sehen, aber er konnte es nicht .... 12. Es tut
uns leid, wenn Sie uns verlassen, aber wir können Sie nicht daran ....

müssen – sollen

müssen

bezeichnet eine unbedingte Notwendigkeit, der man nicht ausweichen kann, son-
dern der man nachkommen muß, ob man will oder nicht = gezwungen sein.
Er muß sich operieren lassen.
Besonders bezeichnet *müssen* die notwendige Bedingung oder Voraussetzung in
einem Bedingungsverhältnis (wenn-Satz, wer-Satz):
Wenn man studieren will, muß man das Abitur haben.
Wer studieren will, muß das Abitur haben.

sollen

bezeichnet den Wunsch oder Befehl eines Dritten, dem man nicht gezwungen ist zu
folgen, – wenn man nicht will.
Du sollst nicht stehlen. – Sie sollen zum Chef kommen.

Beachte: Nur *sollen* kommt negativ vor: *Du sollst nicht ....*, *müssen* dagegen
kommt in gutem Deutsch nur positiv vor. Du mußt nicht .... heißt entweder: *du
darfst nicht ....* oder *du brauchst nicht zu ....*

In erweiterter Bedeutung bezeichnet *müssen* die (notwendige) Vermutung oder
Annahme:
Ich kann meinen Füller nicht wiederfinden. Ich muß ihn verloren haben,
sollen dagegen das Gerücht, das Gerede der Leute, das „man sagt":
Er soll früher einmal im Gefängnis gesessen haben.

Zweifelnde Fragen bildet man mit *sollte:*
Sollte der Zug schon fort sein? – Sollte das Paket nicht angekommen sein?

Übung 17a: müssen oder sollen?
1. Ich kann nicht mitkommen heute abend, ich .... (unbedingt) Briefe
schreiben. 2. Er spricht so leise. Man .... schwer aufpassen, wenn man etwas
verstehen will. 3. Man .... den Tag nicht vor dem Abend loben. (Sprichw.)

4. Ich .... (unbedingt) zum Frisör. 5. Er kommt nicht, er .... krank sein.
6. Der Lehrer hat gesagt, wir .... die Aufgabe noch einmal machen. 7. Kein
Mensch .... müssen. (Lessing) 8. Es heißt (= man sagt), in der Antarktis ....
es unter dem Eis große und wertvolle Metallvorkommen geben. 9. Bei diesem
Wetter .... man sich warm anziehen, wenn man sich nicht erkälten will. 10. Du
.... nicht über etwas reden, von dem du nichts verstehst. (das sog. 12. Gebot)
11. Da hilft nichts, wir .... die Rechnung sofort bezahlen. 12. Mein Freund hat
mir geschrieben, ich .... ihn in den Ferien besuchen. 13. Ich habe den
Abschnitt nicht verstanden, ich .... ihn noch einmal lesen. 14. Es .... schon
wieder ein schweres Flugzeugunglück passiert sein. 15. Wenn wir den Zug nicht
versäumen wollen, ... wir jetzt gehen. 16. .... man das glauben?

Übung 17b: müssen oder sollen?
1. Er läßt dir sagen, du .... ihn heute abend anrufen. 2. Das Fußballspiel ....
wegen Regen abgebrochen werden. 3. Ich verstehe nicht, daß er nicht antwortet.
Mein Brief .... verloren gegangen sein. 4. Was .... das heißen? Wie ....
man das verstehen? Wissen Sie, was das bedeuten ....? 5. Die Sache .... auf
jeden Fall bis morgen geregelt (erledigt) sein. 6. Sag den Kindern, sie ....
ruhig sein. 7. Spezialreifen .... verhindern, daß die Autos bei Glätte rutschen.
8. Der Film ist ganz großartig. Den .... Sie unbedingt sehen. 9. Man ....
versuchen, aus allem das Beste zu machen. 10. Wir .... uns gedulden, da hilft
alles nichts. 11. Ich .... Sie unbedingt sprechen. 12. Sie haben recht, ich hätte
es früher (eher) sagen .... 13. Der Schlosser ist gekommen. Was .... er
reparieren? 14. Man .... die Sache auch einmal von der anderen Seite ansehen.
15. In Ihrem Fall, lieber Freund, ... man sich wohl oder übel gedulden. 16. Du
kannst, denn du .... (Kant)

folgen – befolgen – erfolgen – verfolgen

folgen D

ist relativ selten
  Er folgt ihr auf Schritt und Tritt.
Die zeitliche Folge drückt man aus durch **folgen auf A**.
  Auf Regen folgt Sonnenschein. – Auf Karl den Kahlen folgte Karl der Dicke.
Die logische Folge bezeichnet man durch **folgen aus**.
  Aus dieser Tatsache folgt (ergibt sich, geht hervor), daß ....

Der häufigste Gebrauch von *folgen* ist gewiß der ohne Ergänzung:

Jetzt folgt die Wochenschau, die 5. Symphonie usw.

Niemals sagt man im Deutschen, obwohl viele Ausländer das glauben:
Ich folge einem deutschen Sprachkurs. – Ich folge Vorlesungen über Literatur.

Da muß es vielmehr heißen:

Ich nehme an einem Sprachkurs teil oder

Ich besuche einen Sprachkurs. Ebenso: *Ich besuche Vorlesungen über* ....

Folgen gebraucht man hier nur in der Bedeutung mitkommen, verstehen. Gewöhnlich in der Verbindung *folgen können*:

Können Sie folgen? – Ich konnte dem Vortrag folgen, obwohl der Vortragende ziemlich schnell sprach.

befolgen A

bedeutet erfüllen A, nachkommen D, z.b. bei Vorschriften, Anweisungen, Ratschlägen.

Ein Beamter muß die Vorschriften befolgen = muß sich an die Vorschriften halten.

erfolgen intr.

bezeichnet ein Resultat, eine Reaktion, aber niemals einen Erfolg. Man kann nicht sagen: Das Experiment erfolgte, im Sinne von glückte, gelang. Das muß immer heißen *hatte Erfolg. Erfolgen* bezeichnet einfach die Reaktion:

Auf diese Meldung erfolgte sofort ein Dementi der Regierung.

Auf unseren Brief ist immer noch keine Antwort erfolgt.

Oft auch einfach im Sinne von geschehen:

Der Unfall erfolgte bei schlechter Sicht.

verfolgen A

in erster Bedeutung feindlich = jagen

Die Polizei verfolgte die beiden Einbrecher vergeblich.

Dann: *ein Ziel, eine Absicht, einen Zweck, einen Plan verfolgen.*

In erweiterter Bedeutung heißt *verfolgen* aufmerksam, interessiert beobachten.

Hunderttausende haben das Fußballspiel im Fernsehen verfolgt.

Meist aber bezieht sich *verfolgen* = beobachten auf Geschehnisse von längerer Dauer, also vor allem Entwicklungen:

Wenn man Napoleons Aufstieg verfolgt, ...

Übung 18: folgen, befolgen, erfolgen oder verfolgen?
1. Wenn Sie die Vorschriften des Arztes nicht ...., kann Ihre Krankheit natürlich nicht besser werden. 2. ..... jeden Dezember .... wieder ein Mai. 3. Es ist, als ob das Unglück ihn .... Er ist wie vom Unglück (vom Pech) .... 4. Der Pressedienst .... aufmerksam die Reaktion (Äußerungen, Stellungnahmen) der ausländischen Presse. 5. Ich kann Ihrem Vorschlag unmöglich .... 6. ..... unsere Bestellung ist immer noch keine Lieferung .... 7. Bei allem, was er tut, ... er immer nur seine eigenen Zwecke. 8. Fortsetzung .... 9. ..... seinen Angaben ...., daß er nie eine ordentliche Schule besucht hat. 10. Wenn Sie die Gebrauchsanweisung genau ...., kann gar nichts schief gehen = mißlingen. 11. Diese Woche bin ich wirklich vom Pech .... 12. Zu unserem Katalog .... hier noch die Preisliste. 13. Der Gedanke, es könnte ein Unglück geben, ... ihn, wo er ging und stand. 14. Ich habe die politischen Äußerungen des Autors durch alle seine Werke hindurch .... 15. ..... Regen .... Sonnenschein. (Sprichw.) 16. Unsere Lieferung kann immer noch nicht ...., da Ihre Vorauszahlung noch nicht eingetroffen ist. 17. Ich gehe voraus. Wollen Sie mir bitte ....! 18. Ohne Zweifel .... er ein ganz bestimmtes Ziel. Aber ich habe noch nicht heraus, welche Absicht er mit seiner Einladung eigentlich .... 19. Und was .... dar ..... ? – Gar nichts! 20. Ich werde Ihren Rat .... 21. Ich habe die Zeitungsmeldungen genau .... 22. Eine offizielle Untersuchung der Affäre .... erst unter massivem Druck der öffentlichen Meinung. 23. Ein Mißgeschick .... dem andern. 24. Die Operation darf erst ...., wenn das Herz des Patienten wieder kräftiger ist. 25. Die Zahlung ist inzwischen ....

gehören – gehören zu – angehören _____

gehören D

bezeichnet den Besitz.
Wem gehört das Buch? Gehört es Ihnen?

gehören zu

bezeichnet den Teil eines Ganzen.
Sardinien gehört zu Italien, Korsika zu Frankreich.
Gibraltar gehört geographisch zu Spanien, politisch zu England.

angehören D

bezeichnet die Mitgliedschaft in einem Verein oder einer Organisation.
Ich gehöre dem ADAC an (dem Allgemeinen Deutschen Automobil-Club).
– Die Schweiz gehört nicht der NATO an.

Übung 19: gehören, gehören zu oder angehören?
1. Nein, das Buch .... nicht mir. Ich weiß nicht, wem es .... 2. Was
.... alles .... einer guten Ski-Ausrüstung? 3. .... Sie auch .... unserer Gruppe? 4. Er .... dem Rotary-Club .... 5. Es .... viel Zeit und
Energie da ...., eine Fremdsprache gründlich zu lernen. 6. .... welchem Land
.... Grönland? 7. .... Skispringen .... eine große Portion Mut.
8. .... einer Villa .... immer auch ein Garten. 9. .... Sie einer Gewerkschaft ....? 10. Alle, die .... unserer Klasse ...., treffen sich heute
abend vor dem Institut. 11. Der Walfisch .... den Säugetieren (auch: gehört
in die Klasse der Säugetiere). 12. .... einem kompletten Menü .... mindestens 3 Gänge. 13. .... Sie einer studentischen Verbindung ....? Welcher?
14. Wissen Sie, ... welchem Land Alaska ....? 15. .... den wichtigsten
Voraussetzungen für jeden Erfolg .... Ausdauer.

kürzen – verkürzen – abkürzen – kürzer machen

kürzen A

betrifft eine Quantität.
*Das Gehalt, eine Zuteilung, eine Ration u.ä. werden gekürzt, aber auch ein
Aufsatz, eine Abhandlung, ein Buch.*

verkürzen A

gilt der Zeit und zeitlichen Abläufen (Entwicklungen) und der Perspektive.
*Die Arbeitszeit ist seit dem Ende des vorigen Jahrhunderts ständig verkürzt
worden.*

abkürzen A

heißt kürzer machen im Sinne der Vereinfachung, Erleichterung.
den Weg abkürzen, ein Wort, ein Verfahren abkürzen
Beachte: Ein Kleid, eine Hose und dgl. kann man nur *kürzer machen* (lassen)!

Übung 20: kürzen, verkürzen, abkürzen oder kürzer machen?
1. Die Diskussion (Sitzung, Tagung) dauert viel zu lange. Man müßte sie unbedingt
.... 2. Die Vorhänge sind zu lang, du mußt sie etwas .... 3. Der
Militärhaushalt soll dieses Jahr .... werden. 4. In vielen Fabriken ist die
Arbeitswoche auf fünf Tage .... worden. 5. Willst du deinen Rock nicht
etwas ...., ich glaube, er ist zu lang. 6. Der Zahnarzt sagte: „Eine Wurzel-
behandlung ist immer sehr langwierig, aber ich will versuchen, sie möglichst
............" 7. Nicht nur die Militär-, auch die Sozialausgaben sollen ....
werden. 8. Können wir den Weg nicht ....? 9. Seine ganze Gestalt
erscheint auf dem Photo perspektivisch .... 10. Wie können wir uns die
Wartezeit am besten ....? 11. Der Aufsatz ist zu lang, ich muß ihn unbedingt .... 12. Die USA haben ihre Auslandshilfe stark ....
13. Wie könnte man eine so lange Bezeichnung am originellsten ....?
14. Ich möchte eine vollständige Ausgabe, keine .... 15. Das Telegramm
wird zu teuer. Kannst du es nicht noch etwas ....?

Übung 21: Kürzung, Verkürzung oder Abkürzung?
1. U.a. ist die .... von „unter anderem". 2. .... der Arbeitszeit. 3. .... des Staatshaushalts 4. Perspektivische ....
5. .... des Textes 6. Gehalts............ 7. .... der
Lebensmittelzuteilung 8. Zur .... des Verfahrens 9. Programm
.... 10. .... des Weges 11. Etat............ 12. .....
.... der Sparprämien.

fortfahren – fortsetzen

fortfahren

ist intransitiv wie fahren und wird entweder mit Inf. + zu gebraucht oder mit mit
+ Subst.
Er fuhr fort zu arbeiten . – Er fuhr mit (auch: *in*) *der Arbeit fort.*

fortsetzen

ist transitiv wie setzen.

Er setzte seine Arbeit fort.

Übung 22: fortfahren oder fortsetzen?
1. Nach einer kurzen Pause .... sie ihren Weg fort. 2. Wenn ihr ...., solchen Lärm zu machen, muß ich euch das Spielen ganz verbieten. 3. Wir .... nun in unserem Programm fort. 4. Fräulein Ahrens, ... Sie bitte fort! (zu lesen, zu erzählen usw.) 5. Wir können die Diskussion nicht ins Unendliche .... 6. „Als wir nun gegen Abend in ein Dorf kamen", ... der Erzähler fort. 7. Es hat gar keinen Sinn, in dieser Weise .... 8. Die Diskussion .... sich endlos fort. 9. .... Sie nur fort! Es interessiert uns alle sehr, was Sie zu berichten haben. 10. Er ist nach Paris gefahren, um sein Studium dort ....

meiden – vermeiden

meiden A

bezieht sich auf Orte (Lokalitäten), Personen, Umgang und Gesellschaft.

Seitdem er das Buch, das ich ihm geliehen hatte, verloren hat, meidet er mich. – Das Lokal (Restaurant) ist so schlecht, daß wir es grundsätzlich meiden.

vermeiden A

bezieht sich dagegen auf Zustände, Schwierigkeiten, Ungelegenheiten und wird auch mit Inf. + zu gebraucht (immer mit es!).

Wir wollen jeden Zeitverlust nach Möglichkeit vermeiden.
Ich möchte es vermeiden, Sie noch einmal zu belästigen.

Übung 23: meiden oder vermeiden?
1. Das sind Kerle, die man am besten .... 2. Nach Möglichkeit .... ich es, Briefe mit Maschine zu schreiben. 3. Am liebsten möchte ich nicht hingehen. Aber es läßt sich nicht .... 4. Man kennt sich und .... sich. (Redensart) 5. Wenn Sie alle Schwierigkeiten .... wollen, halten Sie sich genau an die Gebrauchsanweisung! 6. Er

45

hat mich einmal beschwindelt. Seitdem habe ich sein Geschäft immer
.... 7. Wir wollten jede Auseinandersetzung .... und
haben in allem nachgegeben. 8. Das Gasthaus ist etwas ungepflegt, und ich
.... es nach Möglichkeit. Aber manchmal, wenn ich wenig Zeit
habe, kann ich es doch nicht ...., dort zu essen. 9. Eine Verwechs-
lung von meiden und vermeiden wollen wir in Zukunft ....
10. Nachtblinde sollen es möglichst ...., im Dunkeln zu fahren.
11. Er ist faul und .... die Arbeit, wo er kann. 12. Herzkranke
müssen jede Aufregung .... 13. Nur durch geschickte Tarnmanöver
ist ein Skandal .... worden. 14. Er muß ins Krankenhaus. Es läßt
sich nicht .... 15. Was man nicht kann ...., muß man
willig leiden. (Sprichw.)

fürchten – befürchten – sich fürchten vor _____

fürchten A

bezeichnet die intellektuelle Furcht, den Respekt.
Wir sollen Gott fürchten und lieben. (Luther)

sich fürchten (vor D)

bezeichnet dagegen das Furcht*gefühl*.
Die Kinder fürchten sich in der Dunkelheit. – Sie fürchten sich vor Strafe.
Der Lehrer ist sehr streng,
die Kinder fürchten ihn = sie haben Respekt vor ihm.
sie fürchten sich vor ihm = sie haben Angst vor ihm.

befürchten A

bezeichnet die Voraussicht unangenehmer Ereignisse in der Zukunft.
Man befürchtet, daß es einen strengen Winter geben wird.
Wir befürchten das Schlimmste.

Vgl. folgenden Unterschied:
Wir brauchen keinen Angriff zu fürchten = kein Angriff kann so stark sein,
daß wir ihm nicht gewachsen wären.
Wir brauchen keinen Angriff zu befürchten = Voraussage: es wird gar keinen
Angriff geben.

46

In der Umgangssprache sagt man statt *befürchten, daß* oft auch einfach *fürchten, daß:*

> *Ich (be)fürchte, daß er trotz seiner Zusage nicht kommt.*

Aber man sagt immer: *es ist zu befürchten, daß...*

Übung 24: fürchten, befürchten oder sich fürchten (vor)?
1. Die Bevölkerung .... neue Preissteigerungen. 2. Bei einem Gewitter .... sie ...... immer sehr. 3. Der Chef ist wegen seiner Strenge .... 4. Die Schauspieler .... den Kritiker wegen seines scharfen Urteils. 5. Der Kranke .... Operation überhaupt nicht. 6. Es ist zu ...., daß die neuen Lohnerhöhungen auch wieder neue Preissteigerungen mit sich bringen (nach sich ziehen). 7. Die meisten Frauen .... Mäusen. 8. Mutig ist ein Mensch, der .... Gefahr .... 9. Sie können ganz beruhigt sein, Sie haben überhaupt nichts zu .... 10. Ich ...., die Schwierigkeiten sind größer, als wir uns vorstellen. 11. Sie ist noch nie in ihrem Leben geflogen, sie .... 12. Es ist zu ...., daß die Zahl der Opfer sich noch erhöhen wird. 13. Viele Menschen .... Alter. 14. Wir hatten schon ...., unser Ziel nicht mehr zu erreichen. Aber dann schafften wir es doch. 15. Sie brauchen nicht zu ...., daß wir Sie vergessen werden (im Stich lassen werden). 16. Erklären Sie den Unterschied zwischen den Sätzen: Der Reisende befürchtet eine Gepäckkontrolle, und: er fürchtet sich vor einer Gepäckkontrolle! 17. Wir .... Blamage. 18. Wir ...., uns blamiert zu haben. 19. Ein Unglück in der Weltraumfahrt war seit langem und mit Sicherheit zu .... 20. Er kann nicht schwimmen und .... Wasser.

Übung 25: Furcht oder Befürchtungen*?
1. Die .... des Herrn ist der Weisheit Anfang. (Psalm 111, 10) 2. .... vor Strafe. 3. Wir hatten große ...., man würde uns mißverstehen. 4. Sie war blaß vor .... 5. Was haben Sie für ....? Sagen Sie es offen und ehrlich! 6. Gespenster............ 7. Wir haben große .... vor einer Blamage. 8. .... und Bedenken. 9. Ihre .... ganz grundlos. 10. Das Kind zitterte vor .... 11. Ihre .... wegen seiner Unzuverlässigkeit ...... wirklich übertrieben. 12. Menschenscheu ...... unnatürliche .... vor fremden Menschen.

---

* *Befürchtung* gebraucht man selten im Singular, sondern meist im Plural, als Ausdruck vieler und wiederholter sorgenvoller Gedanken.

tun – machen

tun

hat im allgemeinen mehr die Bedeutung von handeln,

machen

mehr die Bedeutung von herstellen, bewirken. Also:
> *seine Pflicht, sein Bestes, sein Möglichstes tun*
> *Recht, Unrecht, Gutes, das Notwendige tun*
> *Schwierigkeiten, Umstände, Theater machen* usw.
> *Lärm, Reklame, Schulden machen* usw.

Aber der Unterschied ist nicht scharf. So heißt es z.b.
> *jm eine Freude machen,* aber: *jm einen Gefallen tun*
> *den Anfang machen,* aber: *den ersten Schritt tun*

Das allgemeine Verhältnis ist aber, daß Ausdrücke mit *machen* bedeutend häufiger sind als solche mit *tun*. Merkt man sich also die relativ wenigen mit *tun*, so bleiben die übrigen Fälle für *machen*.

Adjektive werden mit *machen* gebraucht:
> *aufmerksam, bekannt, breiter, dick, glücklich, klar, lächerlich machen*

Adverbien werden mit *tun* gebraucht:
> *gut, wohl, weh, leid tun*

Tun bedeutet handeln:
> *Warum haben Sie das getan? – Tu das nicht!*

aber auch einfach arbeiten (meist negativ):
> *Ich habe nichts zu tun. – Er tut nichts, sondern liegt seinem Vater auf der Tasche.* *

Beachte besonders: *tun* umgangssprachlich für stellen, legen, setzen:
> *Wo hast du die Zeitung hingetan?* (= hingelegt) *– Tu (steck) dein Geld in die Tasche! – Du hast zuviel Salz ans Essen getan.*

Für *machen* merke folgende drei reflexive Ausdrücke:
> *sich an die Arbeit machen* = beginnen zu arbeiten
> *sich auf den Weg machen* = aufbrechen
> *sich aus dem Staube machen* = heimlich verschwinden

---

* er liegt dem Vater auf der Tasche = er lebt vom Geld des Vaters

Übung 26a: tun oder machen?
1. Zucker .... dick. 2. Das .... mir leid. 3. .... das weh? 4. Das
.... nichts. 5. .... nicht solchen Lärm! 6. Der Lärm .... mich ganz
nervös. 7. Ich habe gestern einen langen Spaziergang ....; der Spaziergang
hat mir sehr gut .... 8. Kleider .... Leute. 9. Kann man die Sache nicht
anders, einfacher .... 10. Wollen Sie mir den Gefallen ...., noch einen
Augenblick zu warten. 11. Ich .... mein Bestes. 12. Wir werden unser Mög-
lichstes .... und das Unmögliche möglich .... 13. Sie wollen sich wohl
über mich lustig ....? 14. Mir .... viele Dinge weh, die andern bloß leid
.... (Lichtenberg). 15. Ich habe eine große Dummheit .... 16. Gesagt –
.... 17. Ich möchte mich nicht lächerlich .... 18. Jm et. erklären bedeutet: jm et. .... 19. Ein Foto vergrößern bedeutet: es ....
20. Eine Sache vereinfachen bedeutet: sie ....

Übung 26b: tun oder machen?
1. Eine Schwalbe .... noch keinen Sommer. (Sprichw.) 2. Ich will nichts damit zu .... haben. 3. Hast du den den Brief eingeworfen? – Ja, das habe ich
.... 4. .... Sie es sich bequem! .... Sie ganz, als ob Sie zu Hause
wären! 5. Wir werden das eine .... und das andere nicht lassen. 6. Ich habe es
mir zur Pflicht (Aufgabe, Gewohnheit, Regel, zum Prinzip) .... 7. Sie ....
gut (besser) daran, wenn Sie sich auf diese Auskunft nicht verlassen. 8. Wenn man
einmal anfangen wollte in der Welt, nur noch das Notwendige zu ...., so
müßten Millionen vor Hunger sterben. (Lichtenberg) 9. Um Recht zu ....,
braucht man nicht viel zu wissen, aber um ungestraft Unrecht zu ...., muß man
die Rechte studiert haben. (Lichtenberg) 10. Die Leute, die nie Zeit haben, ...
am wenigsten. (Lichtenberg) 11. Warum .... Sie so ein böses Gesicht? 12. Ich
habe diese Woche viel (alle Hände voll) zu .... 13. .... Sie sich keine
unnötigen Sorgen (Gedanken)! 14. Für das Können gibt es nur einen Beweis, das
.... (Ebner-Eschenbach) 15. Es gibt nichts Gutes, außer, man .... es.
(Erich Kästner)

bessern – verbessern – ausbessern _____

bessern A

heißt besser machen ohne aktive, direkte Einwirkung.
  Gefängnis und Zuchthaus bessern die Verbrecher im allgemeinen nicht.
  Die warmen Bäder haben seinen Zustand sehr gebessert.

verbessern A

heißt dagegen besser machen im Sinne der Korrektur oder Perfektion.
Wir suchen die Qualität unserer Erzeugnisse ständig zu verbessern.
Zweite verbesserte Auflage.

sich bessern

bedeutet besser werden.
das Wetter, die Krankheit, die Lage, die Verhältnisse bessern sich
Er will sich bessern = nicht mehr zu spät kommen, immer aufpassen

sich verbessern

gebraucht man nur bei Arbeit und Sport = eine bessere Stelle, eine bessere Leistung erreichen.
Das Gegenteil der reflexiven Formen heißt in beiden Fällen *sich verschlechtern*, bei Krankheiten gewöhnlich *sich verschlimmern.*

ausbessern A

heißt aufgetretene sachliche Mängel reparieren (flicken). Hosen, Oberhemden, Tücher – überhaupt Kleidungsstücke ausbessern. Den Fußboden ausbessern = aufgetretene Schäden beseitigen.

Übung 27: sich bessern oder sich verbessern?
1. Er hat sich bedeutend ...., er verdient jetzt 200 DM mehr. 2. Wir wollen hoffen, daß das Wetter sich bis morgen .... 3. Durch die Erbschaft hat sich seine finanzielle Lage bedeutend .... 4. Die Beziehungen zwischen den beiden Ländern haben sich wieder .... 5. Seit vorigem Jahr haben sich seine Leistungen bedeutend .... 6. Die Lage auf dem Arbeitsmarkt hat sich wieder .... 7. Durch seine neue Stellung hat er sich sehr .... 8. Das Niveau der Illustrierten wird sich auch in Zukunft kaum .... 9. Es gibt nur ganz wenige Gefangene, die sich in der Haft .... 10. In dem warmen Klima hat sich sein Asthma sehr .... 11. Die Qualität der technischen Erzeugnisse .... sich ständig. 12. Die Verhältnisse im Luftverkehr .... sich von Jahr zu Jahr.

scheinen – erscheinen – vorkommen _____

Handgreifliche, praktikable Bedeutungsunterschiede sind nicht festzustellen. Formal besteht der Unterschied, daß *scheinen* mit Inf. + zu gebraucht wird, *erscheinen* und *vorkommen* aber nicht:

> *Irgend etwas scheint nicht in Ordnung zu sein.*
> *Das erscheint mir nicht richtig.*
> *Das kommt mir verdächtig vor.*

In der Umgangssprache tritt *scheinen* oft an die Stelle von *erscheinen* in Fällen, wo der nachfolgende Infinitiv *sein* ist, das man wegläßt:

> *Das scheint mit nicht richtig (zu sein)* statt des korrekten
> *Das erscheint mir nicht richtig.*

Sätze mit *daß* können nur mit *scheinen* gebildet werden:

> *Es scheint, daß er nicht mitkommen will.*
> *Wie es scheint, will er nicht mitkommen.*

Auch mit persönlichem Objekt:

> *Mir scheint, daß er nicht mitkommen will.*
> *Wie mir scheint, will er nicht mitkommen.*

Aber beachte: wenn ein Adverb hinzutritt (merkwürdig, seltsam, befremdlich, unverständlich usw.), muß es *erscheinen* heißen:

> *Es erscheint mir sehr seltsam, daß er nicht mitkommen will.*

erscheinen

bezeichnet die Erscheinung, das Aussehen.

> *Von weitem erscheint das Haus viel imposanter als von nahem.*

Mit Dativ-Objekt bezeichnet erscheinen den subjektiven Eindruck, die persönliche Meinung.

> *Das erscheint mir problematisch, übertrieben, zu unsicher, zu riskant.*

vorkommen D

bezeichnet immer den subjektiven Eindruck, daher muß es immer durch ein Dativ-Objekt ergänzt werden.

> *Von weitem kommt einem das Haus viel imposanter vor als von nahem.*
> *Der Mann, das Gesicht, die Schrift kommt mir so bekannt vor.*

vorkommen wird besonders mit Adverbien des Befremdens verbunden: merkwürdig, seltsam, verdächtig, komisch (nicht = lustig, sondern merkwürdig, befremdlich, beunruhigend).

Es kommt mir ganz merkwürdig vor, daß er nicht mitkommen will.

Übung 28: scheinen, erscheinen oder vorkommen?

1. Er .... ein ganz intelligenter Bursche zu sein. 2. Mir ...., wir haben einen großen Fehler gemacht. 3. Das .... mir ziemlich teuer ...... 4. Es .... ein Gewitter zu geben. 5. Sie .... mir fast jünger ...... als vor einem Jahr. 6. Der Mann .... mir bekannt ...... 7. Eine solche Reaktion wird vielen Leuten ganz natürlich ...., mir selbst .... sie aber doch ziemlich unpassend ...... 8. Der Patient .... das Schlimmste überstanden zu haben. 9. Es .... einem merkwürdig ......, wenn man liest, daß... 10. Er will immer korrekt .... 11. Das ist in Wirklichkeit gar nicht so schwierig; das .... einem nur zuerst so ...... 12. Das .... (mir) keine sehr glückliche Lösung zu sein. 13. Er .... sich furchtbar wichtig ...... (= er nimmt sich furchtbar wichtig, hält sich für furchtbar wichtig). 14. Fremden muß das sicher recht seltsam ...., aber hierzulande ist es eine ganz gewöhnliche Sache. 15. Sie .... nicht zu wissen, was sie redet. 16. Wenn Ihnen das problematisch ...., lassen Sie es lieber (lassen Sie lieber die Finger davon)! 17. Das .... mir spanisch ...... (= seltsam, merkwürdig, verdächtig). 18. Er .... niemals etwas Richtiges gelernt · zu haben. 19. Die Sache ist doch wichtiger, als sie einem zunächst .... 20. Hiermit .... es für diesmal genug zu sein.

verstehen – erkennen

Einige Sprachen unterscheiden nicht zwischen *verstehen* und *erkennen*.

verstehen A

oder **begreifen A** bezieht sich auf menschliches Denken, Reden, Fühlen oder Handeln und schließt Mitdenken und Nacherleben ein.

Ich verstehe nicht, was er meint. – Man kann gut verstehen, warum er das getan hat.

erkennen A

bezieht sich auf Tatsachen und das Faktum ihrer Feststellung.
Er erkannte (merkte), daß er einen Fehler gemacht hatte.
Sie erkannte (merkte), daß der Händler sie betrügen wollte.
Er mußte erkennen, daß die Zeit für seine Pläne noch nicht reif war.
Aber: *Er erkannte seinen Fehler* = sah ein.
erkennen A = einsehen A; erkennen, daß = merken, daß

Beachte den formalen Unterschied: die Nebensätze nach *verstehen* beginnen gewöhnlich mit *was, wie, warum,* die Nebensätze nach *erkennen* beginnen gewöhnlich mit *daß*!
ich kann nicht verstehen = kann mir nicht erklären
ich kann nicht erkennen = kann nicht sehen, bestimmen, feststellen

Übung 29: verstehen oder erkennen?
1. Wir mußten . . . ., daß es für unsere Rückkehr bereits zu spät war. 2. Ich sah Sie kommen, aber zuerst habe ich Sie nicht . . . . 3. Ich . . . . nicht, wie so etwas möglich ist. 4. Seine Handlungsweise ist kaum zu . . . . 5. Er . . . ., daß sein Experiment mißlingen würde. 6. Man kann gut . . . ., daß diese Affäre ihn sehr beunruhigt. 7. Schließlich mußte die Expedition . . . ., daß ein Weiterkommen unmöglich war. 8. Plötzlich . . . . er, wo der Fehler lag. 9. Es ist immer noch nicht zu . . . ., wie das Unglück geschehen konnte. 10. Man . . . . nicht, wie er diese Frau heiraten konnte. 11. Er bringt Gründe und Argumente vor, die kein Mensch . . . . kann. 12. Als die Ärzte die Krankheit . . . ., war es bereits zu spät. 13. Ich . . . . nicht, was er will. 14. Erst im letzten Augenblick . . . . wir die Gefahr, in der wir uns befanden. 15. Man kann seine Sorgen und Zweifel gut . . . . 16. Er . . . . seinen Irrtum. 17. Er ist ein Mensch, der keinen Spaß . . . . 18. Ich . . . . nichts davon. 19. Sie . . . . die Unmöglichkeiten ihres Planes. 20. Sie werden meine Enttäuschung sicher . . . . 21. Ich sehe nicht gut; vielleicht können Sie die Nummer des Lastwagens . . . . 22. Als Scott am 17. Januar 1912 den Südpol erreichte, mußte er . . . ., daß Amundsen ihm zuvorgekommen war. 23. Ich . . . . nicht, warum er immer so unzufrieden ist. 24. Als die Passagiere . . . ., daß das Schiff sank, brach eine Panik aus. 25. Das . . . . sich von selbst. 26. Ich . . . . nicht, warum die ewige Seligkeit nicht lieber sofort anfängt. (Lichtenberg)

lieben – mögen – gefallen – gern tun _____

lieben A

kann man im Deutschen Personen, Tiere, Länder, Städte, Landschaften, außerdem aber nur noch Dinge, die für den Menschen von grundsätzlicher Bedeutung sind: die Heimat, das Vaterland, die Freiheit, Wahrheit, Gerechtigkeit, das Leben, das Geld u.ä.

Die Formel *lieben, etwas zu tun,* ist ziemlich anspruchsvoll und man gebraucht sie am besten nie von sich selbst:

> *Harun al-Raschid liebte es, sich verkleidet unter das Volk zu mischen.*
> *Die Menschen lieben es im allgemeinen nicht, wenn man ihnen widerspricht.*

Beachte das obligatorische *es*!

mögen A

bedeutet *gern haben* oder *gern tun,* also ein allgemeines Geschmacksurteil.

> *Sie mögen sich* = lieben sich, haben sich gern. – *Er mag kein Sauerkraut* = ißt nicht gern Sauerkraut. – *Ich mag nicht länger warten* = habe keine Lust, länger zu warten.

Doch sind Sätze mit *mögen* + Inf. ziemlich selten.

gefallen D

drückt ein ästhetisches Urteil aus und bezieht sich nur auf Menschen und Natur- und Kunstschönheiten, nicht aber z.B. auf Speisen, Getränke oder Genüsse.

> *Der Film hat ihr sehr gut gefallen. – Die Bewerberin hat dem Arbeitgeber gut gefallen. – Das Mädchen gefällt mir. – Viele Menschen lieben Venedig, aber mir gefällt es nicht besonders. – Wie hat es Ihnen in München gefallen?* (besser als: Wie hat Ihnen München gefallen?)

Dagegen kann man nicht sagen: Filterzigaretten gefallen mir nicht. Das muß vielmehr heißen: *Ich mag keine Filterzigaretten* oder *Ich rauche nicht gern Filterzigaretten.*

Auch die Konstruktion gefallen mit Inf. + zu gibt es im Deutschen nicht. Man kann nicht sagen: Es gefällt ihm, zu Fuß zu gehen. Man kann nur sagen: *Er liebt es, zu Fuß zu gehen* oder besser: *Er geht gern zu Fuß.*

gern (lieber, am liebsten) tun

ist die wichtigste deutsche Formel, wo andere Sprachen *lieben* oder *gefallen* sagen.
Sie tanzt gern. Er dagegen bleibt am liebsten zu Hause.

Übung 30: Ersetze, wenn möglich, das Verb *lieben* durch **mögen, gefallen, gern tun** und erkläre gleichzeitig, ob der Satz mit *lieben* möglich ist oder nicht!
1. Sie liebt die Berge über alles. 2. Das Kind liebt keinen Lebertran. 3. Ich liebe keine Wildwest-Filme. 4. Sie liebt es zu wandern. 5. Er liebt Bier, am meisten Starkbier. 6. Lieben Sie Brahms? 7. Sie lieben sich. 8. Lieben Sie unsere Stadt? 9. Sie liebt keine Pullover. 10. Lieben Sie Leber? 11. Ich liebe es nicht, Briefe mit der Maschine zu schreiben. 12. Wie haben Sie den Film geliebt? 13. Wer bescheiden ist, liebt es nicht, von sich selbst zu sprechen. 14. Er liebt die Geselligkeit. 15. Er liebt es am meisten, für sich allein zu sein. 16. Sie liebt Dostojewski nicht. 17. Er liebt das Kartenspiel. 18. Ich liebe es nicht, einen Hut zu tragen. 19. Sie liebt diese Wohnung nicht. 20. Sie liebt diese Suppe nicht. 21. Jeder Narr liebt die eigene Kappe am meisten. (Sprichw.) 22. Von allen Ländern liebt sie Spanien am meisten. 23. Ich liebe seinen Ton und sein Benehmen nicht. 24. Lieben Sie dieses Bild? 25. Sie liebt Schokoladeneis am meisten.

treffen – antreffen _____

treffen A

bezeichnet ein zufälliges Treffen.
Heute habe ich in der Stadt Herrn Ahrens getroffen.

antreffen A

bedeutet, jemanden treffen, den man besucht oder anruft.
Ich ging unangemeldet zu ihm, traf ihn aber zum Glück an.

Beachte: Die Reflexivform gibt es nur von *treffen*!

Übung 31: treffen oder antreffen?
Zuletzt haben wir uns im Theater . . . . 2. Ich wollte Sie besuchen, habe Sie aber leider nicht . . . . 3. Ich möchte gern Herrn Prof. Behrens sprechen. Wann ist er . . . . ? 4. Bei einer solchen Gelegenheit . . . .

man alle seine Bekannten wieder. 5. Ich habe gestern dreimal versucht, Sie anzurufen, habe Sie aber leider nicht .... 6. Ich muß dich unbedingt heute noch sprechen. Wo bist du heute abend ....? 7. Wir .... ziemlich regelmäßig im Klub. 8. Er ist fast jeden Aband in der Wirtschaft .... 9. Wo habt ihr ...... zuletzt ....? 10. Herr Ahrens ist am sichersten morgens zwischen 8 und 10 in seinem Büro ....

nehmen – bekommen

Nehmen bezeichnet eine Handlung, *bekommen* einen Vorgang, ein Geschehen. *Nehmen* kann man nur etwas, über das man frei verfügt. Alles dagegen, was einem gegeben oder gebracht wird, nimmt man nicht, sondern *bekommt* man, z.B. *ein Diplom, Briefe, eine Nachricht* usw.

In manchen Fällen kann man beides sagen, aber mit charakteristischem Unterschied.
   Wann nehmen Sie Ihre Ferien?
wird man fragen, wenn der Gefragte selbst bestimmen kann, wann er in Ferien geht.

Dagegen wird man fragen:
   Wann bekommen Sie Ihre Ferien?
wenn der Chef oder die Firma den Zeitpunkt des Urlaubs bestimmen.

Beachte: *Fotografien (Aufnahmen)* nimmt man nicht, man *macht* sie. Beachte auch den Ausdruck: ich habe das Buch *geliehen, geschenkt bekommen.*

Übung 32: nehmen oder bekommen?
1. .... Sie Platz! 2. Das Konzert ist ausverkauft; wir haben keine Karten mehr .... 3. Der Gastgeber zum Gast: Lassen Sie sich nicht bitten, ... Sie! 4. Ich habe geschrieben, aber noch keine Antwort .... 5. Er .... täglich ein kaltes Bad. 6. Habe ich heute keine Post ....? 7. Ich habe ganz vergessen, meine Medizin zu .... 8. Wir haben diesmal eine sehr hohe Stromrechnung .... 9. Haben Sie von Ihrem Freund schon Nachricht .... 10. Ich .... diesmal meinen Urlaub im Winter. 11. Der Schüler .... ein glänzendes Zeugnis. 12. .... Sie noch ein Glas Bier? 13. Geben ist seliger als .... (Apg. 20, 35). 14. Also, ich .... das rote Kleid. 15. Er hat eine Inderin zur Frau .... 16. Seine Frau hat Zwillinge .... 17. Wir suchen seit langem eine größere Wohnung, können aber keine .... 18. Unsere Haushilfe .... DM 800,–

im Monat. 19. Ich . . . . Sie beim Wort. 20. Der Mißerfolg hat ihm allen Mut . . . . 21. Ich habe das Buch nicht gekauft, ich habe es geschenkt . . . . 22. Hoffentlich . . . . die Geschichte kein schlimmes Ende!

lernen – erfahren

Lernen gebraucht man im Deutschen nur für wirkliches Lernen und Studieren. Dagegen heißt
aus der Zeitung, aus dem Radio, durch einen Brief, von einem Freund eine Nachricht oder Information bekommen, nicht *lernen*, sondern *erfahren*, durch Lesen oder Hören.

Beachte:
Ich habe das *in der Zeitung gelesen.*
aus der Zeitung erfahren.
Die Umgangssprache läßt das Part. Perf. oft weg:
Ich habe das aus der Zeitung (erfahren).
Ich habe das von einem Freund (erfahren).

Übung 33: lernen oder erfahren?
1. Bei wem hat er Geigespielen . . . . ? 2. Von wem haben Sie das . . . . ? 3. Wo kann ich . . . . , wann der nächste Bus geht? 4. Sie kann ausgezeichnet kochen, obwohl sie niemals richtig . . . . hat. 5. Als wir spät abends mit dem Zug ankamen, mußten wir . . . . , daß es keinen Bus mehr gab, der uns ans Ziel bringen konnte. 6. Man muß . . . . , sich anzupassen. 7. Wir haben noch nichts Genaues, noch keine Einzelheiten . . . . 8. Wir haben eine wichtige Regel . . . . 9. Philipp II. weinte, als er . . . . , daß seine Flotte vernichtet war. 10. Ich habe soeben eine wichtige Neuigkeit . . . . 11. Man . . . . nie aus. 12. Was . . . . die Menschen aus der Geschichte?

schaffen – erreichen

Schaffen und *erreichen* haben in mehreren Sprachen nur eine Entsprechung und werden daher oft verwechselt. Eine erste formale Hilfe ist es, wenn man weiß, daß nur *schaffen* mit einem Infinitivsatz verbunden werden kann, nicht aber *erreichen*. Man kann also im Deutschen nicht sagen: Er *erreichte* es endlich, Bürgermeister zu werden, sondern nur:

Er schaffte es endlich, Bürgermeister zu werden.

Und natürlich auch:

Es gelang ihm endlich, Bürgermeister zu werden.

Schaffen mit Infinitivsatz kann immer durch *es gelingt* mit Infinitivsatz ersetzt werden.

Oft, besonders in negativen Sätzen, ersetzt das unpersönliche *es* den Infinitivsatz nach *schaffen:*

Ich wollte Ihnen schon lange schreiben, aber ich habe es nicht geschafft (Ihnen zu schreiben)*.

Erreichen wird immer nur transitiv gebraucht, mit Akk.-Objekt, und ihm liegt immer eine Zweckvorstellung zugrunde, ein angeordnetes oder angestrebtes Ziel:

man erreicht ein Ziel (Bestimmungsort), einen Zweck, eine Absicht.

Transitives *schaffen* dagegen bezeichnet das Ausführen und Vollbringen:

Ich kann die Arbeit bis morgen nicht schaffen = fertig haben.

Vgl. folgenden Unterschied:

Er hat viel erreicht in seinem Leben = er ist weit gekommen, *viel geschafft in seinem Leben* = er hat viel gearbeitet, geleistet, vollbracht.

Übung 34: schaffen oder erreichen?
1. Erst spät in der Nacht . . . . sie ihr Ziel. 2. Der Brief hat den Adressaten gar nicht . . . . 3. Der Anzug muß bis nächste Woche fertig sein. Werden Sie das . . . . ? 4. Jetzt hast du endlich deine Absicht . . . . 5. Ich weiß nicht, wie ich es . . . . soll, bis morgen fertig zu werden. 6. Das Auto . . . . eine Höchstgeschwindigkeit von 160 Stundenkilometern. 7. Die Sekretärin . . . . 240 Silben in der Minute. 8. Ich habe es versucht, aber ich habe es nicht . . . . 9. Sie hat tatsächlich die ganze Korrespondenz . . . . (= erledigt). 10. Amundsen . . . . den Südpol nur wenige Tage vor Scott. 11. Unser Zug hatte Verspätung, und wir . . . . den Anschluß nicht mehr. 12. Den Schwimmer verließen plötzlich die Kräfte, und er . . . .

---

* Verwechsle nicht schaffen, schaffte, geschafft A mit schaffen, schuf, geschaffen A!

es nicht mehr (es gelang ihm nicht mehr), das Ufer zu .... 13. Wir wollten
uns auch das Museum ansehen, aber wir .... es nicht mehr, die Zeit war zu
kurz. 14. Unter welcher Telephonnummer sind Sie zu ....? 15. So, das ist
....

durchqueren – überqueren

durchqueren A

gebraucht man bei Örtlichkeiten, **in** denen man sich befindet:
Saal, Park, Wald, Stadt.

überqueren A

dagegen bei Örtlichkeiten, **auf** denen man sich befindet:
Straße, Platz, Brücke, Wiese, Feld.

In einzelnen Fällen kann beides möglich sein und hängt von der Art der Überque-
rung ab. Bin ich z.B. *im* Fluß, so *durchquere* ich ihn, nämlich schwimmend; bin ich
dagegen *auf* dem Fluß, im Schiff oder Boot, so *überquere* ich ihn, fahrend.

Übung 35: durchqueren oder überqueren?
1. Bei Rot darf man die Straße nicht .... 2. Livingstone war der erste
Europäer, der Afrika .... 3. 1927 .... Lindberg als erster den
Atlantik. 4. Man kann den Fluß nur mit einem Boot ...., die Brücke ist
gesperrt. 5. Die Soldaten mußten den Fluß schwimmend .... 6. Eine
Karawane braucht mehrere Wochen, um die Sahara zu .... 7. Die neuen
Flügelboote .... den Bodensee dreimal so schnell wie gewöhnliche
Schiffe. 8. Nur Lastwagen unter 2 t (Gesamtgewicht) dürfen die Brücke ....
..... 9. Es gab keine Möglichkeit, den Sumpf zu ...., und wir mußten
wieder umkehren. 10. .... der Geleise verboten! 11. Wir mußten zuerst
eine Wiese .... und dann einen großen Wald .... 12. Wir haben
ganz Deutschland ....

herstellen – erzeugen – gewinnen – anbauen ___

hervorbringen A

bezeichnet das natürliche Wachstum, das nicht vom menschlichen Willen gelenkt oder beschleunigt werden kann:

> *Ein guter Baum bringt gute Frucht, ein schlechter schlechte Frucht hervor.*
> *Rilke hat in dem Jahrzehnt von 1913 bis 1922 nur einige vereinzelte Gedichte hervorgebracht.*
> *Er brachte vor Schreck kein Wort hervor.*

Folgende Verben dagegen bezeichnen die willentliche, absichtliche Produktion:

herstellen A, produzieren A

ist die serienmäßige maschinelle oder chemische Produktion (von Fertigfabrikaten, Gebrauchsgütern).

> *Das Volkswagenwerk stellt täglich 6000 Autos her.*

gewinnen A

gebraucht man vor allem bei Rohstoffen, die zwar in der Natur vorhanden sind, aber nicht fertig vorgefunden werden, sondern erst durch einen besonderen Arbeitsprozeß herausgeholt werden müssen:

> *Gold, Eisen, Kohle, Salz, Minerale.*

erzeugen A

im strengen Sinne bezeichnet die Produktion von etwas, das vorher nicht da war, also aus dem Nichts sozusagen, z.B. die Energieerzeugung oder die Erzeugnisse der Tierzucht:

> *Strom, Wärme, Kälte, Energie,*
> *Milch, Wolle, Häute, Felle.*

Auch *Nahrungsmittel* werden *erzeugt.*
Nach diesem Wortgebrauch werden auch alle *landwirtschaftlichen Produkte erzeugt.* Man sagt in diesem Fall jedoch lieber

anbauen A

Kartoffeln, Getreide, Gemüse, Wein.

Beachte: Das deutsche Wort für *Produkt* heißt allgemein *Erzeugnis*, ganz gleich, ob es durch Herstellung, Gewinnung, Erzeugung oder Anbau entstanden ist: *chemische, synthetische, industrielle, landwirtschaftliche Erzeugnisse.*

Die Herkunft gibt man gewöhnlich mit *kommt aus* an:
Die beste Baumwolle kommt aus Ägypten = wird in Ägypten angebaut, erzeugt.

anfertigen A

bezeichnet die Herstellung einer besonderen einzelnen Sache (Sonderanfertigung) auf Wunsch und Bestellung (nach Maß) oder für einen besonderen Zweck: *Anzug, Kleid, Schuhe, Bücherschrank, Kranz, Gutachten.*

Übung 36: herstellen, erzeugen, gewinnen oder anbauen?
1. Das meiste Gold wird in Südafrika .... 2. 80% des deutschen Schmucks wird in Pforzheim .... 3. Wasserkraft ist die billigste Art, Strom .... 4. In Kanada wird fünfmal soviel Getreide ...., wie das Land selbst braucht. 5. Waren, die in Deutschland .... sind, tragen den Vermerk Made in Germany. 6. Druck .... Gegendruck. 7. Eisen wird aus Eisenerz, Gold wird aus Erz und aus Sand .... 8. Die modernsten Möbel werden in Dänemark .... 9. Heutzutage werden immer mehr Gebrauchsgegenstände aus Plastik .... 10. Reibung .... Wärme. 11. Die meisten Flugzeugteile sind aus Aluminium .... 12. Aluminium wird aus Bauxit .... 13. Maschinell .... Schuhe sind viermal so billig wie handgemachte. 14. Viele Ausländer wissen nicht, daß in Deutschland fast eben soviel Wein .... wird wie in Frankreich. 15. Bayer .... nicht nur Medikamente und Chemikalien, sondern auch Stoffe .... 16. Gas und Teer .... man aus Kohle. 17. Nicht alle europäischen Länder .... ihren Zucker selbst. 18. Das gewöhnliche Papier wird aus Holz .... 19. Reifen werden heute nicht mehr aus Naturgummi, sondern aus synthetischem Gummi ...., der haltbarer ist. 20. Das Naturgummi wird aus dem Kautschukbaum ....

Übung 37: Ersetze das Wort *-produktion* durch *-herstellung, -gewinnung, -erzeugung* oder *-anbau*!
1. Goldproduktion 2. Autoproduktion 3. Stromproduktion 4. Reifenproduktion 5. Lederproduktion 6. Milchproduktion 7. Buchproduktion 8. Weinproduktion 9. Energieproduktion 10. Schwefelproduktion 11. Porzellanproduktion

Beachte: Für *Herstellung* sagt man im Wirtschaftsdeutsch fast immer *Produktion*.

ansehen – sich ansehen – besichtigen _____

Bei *ansehen* sind zwei Formen gut zu unterscheiden:
ansehen A, literar. **anblicken A**
gilt vor allem von Person zu Person
> *Er sprach mit mir, ohne mich dabei anzusehen.*

jn ansehen heißt: jm ins Gesicht, in die Augen sehen. Etwas ganz anderes ist:

sich (= D) etwas ansehen

> *Ich habe mir gestern ein Theaterstück von Dürrenmatt angesehen.*
> *Darf ich mir Ihre Briefmarkensammlung einmal ansehen?*

Man *sieht sich etwas an*, um es kennenzulernen, *jn ansehen* dagegen hat mit Kennenlernen gar nichts zu tun.

Sich etwas ansehen bezieht sich gewöhnlich auf Sachen, aber auch auf Personen, eben um sie kennenzulernen.

> *Ich möchte mir den Mann doch gern einmal ansehen, bevor ich ihn einstelle,*

sagt der Chef, der einen neuen Angestellten einstellt, den er noch nicht kennt.

In der Umgangssprache wird das Reflexivpronomen natürlich manchmal weggelassen:

> *Er hat das Buch liegen lassen, ohne es auch nur einmal anzusehen.*
> *Man muß die Sache auch einmal von der anderen Seite ansehen.*

Merke noch besonders das Idiom:

> *Ich kann das nicht mit ansehen* = das ist mir zu arg, ich kann es nicht ertragen.

besichtigen A

gebraucht man für das Sich-ansehen von
> *Museen, Sammlungen, Fabriken, Städten,*
wenn der Besuch systematisch ist.

Übung 38: ansehen, sich ansehen oder besichtigen?
1. Er ging hinaus, ohne seine Frau noch einmal .... 2. Leider hatten wir nicht genug Zeit, um auch das Stadtmuseum .... 3. Ich habe ...... eine neue Wohnung ...., aber sie gefällt mir nicht. 4. Ihr dürft nicht versäumen, ... den Fernsehturm .... 5. Er ist ein merkwürdiger Mensch; er .... einen nie ...., wenn er mit einem spricht. 6. Sie haben ein Buch ausgestellt (oder: im Schaufenster), das mich sehr interessiert. Darf ich es ...... einmal ....? 7. .... Sie ...... den Artikel gründlich ......, er ist sehr

wichtig! 8. Die großen Firmen begrüßen es, wenn ausländische Gäste kommen, um ihre Anlagen .... 9. Wir wollten auch das Heidelberger Schloß ...., hatten aber leider nicht genug Zeit. 10. Der Film ist ausgezeichnet, den mußt du ...... unbedingt ....

betrachten – zusehen – beobachten

betrachten A (ansehen A)

kann man nur etwas, was ruht:
eine Blume, ein Gesicht, ein Gemälde, eine Landschaft,
um damit vertraut zu werden. *Betrachten* geschieht nie aus bloßer Neugier, sondern immer aus einem besonderen menschlichen, künstlerischen oder gar philosophischen Interesse. Man kann auch
ein Gedicht, einen Text betrachten
d.h. analysierend zu verstehen suchen.

zusehen D

kann sich nur auf Bewegungen und Geschehnisse beziehen und bezeichnet eine neutrale Haltung, ohne bestimmten Zweck oder Absicht:
Die Menge sah dem Unfall teilnahmslos zu.

beobachten A

bezieht sich ebenfalls nur auf Bewegungen und Geschehnisse, geschieht aber immer aus einem besonderen Interesse, um aus dem Beobachteten Konsequenzen zu ziehen:
Der Chemiker beobachtet die Reaktion der Substanzen, um neue Erfahrung zu sammeln und neue Naturgesetze zu entdecken.
Die Soldaten beobachten die Bewegung des Gegners, um ihre Verteidigung entsprechend einzurichten.

Übung 39: betrachten, zusehen oder beobachten?
1. Die Eltern .... Kinder beim Spielen. 2. Sie ist sehr neugierig und .... alles, was bei ihren Nachbarn vorgeht. 3. Ich könnte dieses Bild stundenlang ...., so schön ist es. 4. Sie fühlt sich auf Schritt und Tritt (= im-

mer und überall) .... 5. Wenn man das Angebot recht ...., ist es
gar nicht so ungünstig. 6. Der Junge ...., wie der Vater arbeitet, um etwas
von ihm zu lernen. 7. Er mußte ...... Unglück ...., ohne helfen zu können. 8. Der Astronom .... die Planetenbewegungen. 9. Ich habe diese
Darstellung schon oft .... und entdecke doch immer wieder neue Schön-
heiten. 10. Wer ...., sieht mehr, als wer mitspielt.

übereinstimmen – zustimmen

übereinstimmen (mit jm oder et., in et.)

Übereinstimmung ist die Gleichheit sowohl von Sachen wie von Meinungen:
Die Kopie stimmt mit dem Original genau überein.
Die beiden Regierungen stimmen in allem Wesentlichen überein
= sind in allem Wesentlichen der gleichen Ansicht.

Bei Übereinstimmung der Meinung findet sich oft auch der Ausdruck *sich* (= D)
einig sein:
Die Regierungen sind sich in allem Wesentlichen einig.

Persönlich sagt man statt *ich stimme ganz mit ihm überein* gewöhnlich
Ich bin mit ihm ganz einer Meinung.
negativ:
Ich bin ganz anderer Ansicht als er.

zustimmen D in et.

Während Übereinstimmung ein *Zustand* ist, ist Zustimmung eine *Handlung*, nämlich positive Meinungsäußerung. Als Synonyme finden sich
*sich einverstanden erklären mit** oder einfach
*einverstanden sein mit**

Zustimmen ist mehr offiziell, amtlich, *einverstanden sein* mehr persönlich, privat.
Die Delegationen haben den Bedingungen des Handelsvertrags zugestimmt.
Ich stimme Ihrem Vorschlag zu, bin mit Ihrem Vorschlag einverstanden.

---

* geht nur auf *Meinungen, Vorschläge, Verträge,* nicht auf Personen!

Die substantivischen Ausdrücke *Übereinstimmung erzielen, seine Zustimmung geben* oder *erteilen* sind steif, aber häufig im Amtsdeutsch zu finden.
Eine (juristisch verstandene) Zustimmung im Sinne der Erlaubnis heißt oft
   gutheißen A, billigen A.

Übung 40: übereinstimmen oder zustimmen?
1. Das Parlament hat den Steuererhöhungen . . . . (hat die Steuererhöhungen
. . . .). 2. Wer schweigt, scheint . . . . 3. In dieser Frage stimme
ich mit meiner Frau gar nicht . . . . 4. Die Firma hat unserem Zahlungs-
vorschlag . . . . 5. Alle Fachleute stimmen darin . . . . , (sind . . . . . .
darin . . . .), daß die vorgeschlagene Regelung keine Dauerlösung ist. 6. In
diesem Punkt kann man ihm unmöglich . . . . 7. Die Preise sind nur dann
stabil, wenn Angebot und Nachfrage . . . . 8. Ich freue mich, daß ihr
meinem Vorschlag . . . . (mit meinem Vorschlag . . . .). 9. Sie stimmen in den Hauptpunkten . . . . (sie sind . . . . . . in den Hauptpunkten
. . . .). 10. Er stimmt nur unter der Bedingung . . . . . . , daß . . . . . .

Verben mit der Vorsilbe be- ⎯⎯⎯⎯⎯⎯⎯⎯⎯⎯⎯

Wir fügen den Übungen noch einige generelle Bemerkungen an über den Unterschied zwischen einfachen Verben und denselben Verben, erweitert durch die Vorsilbe *be-* z.B. *enden – beenden, lügen – belügen, drohen – bedrohen.* Die allgemeine Regel lautet, daß die Vorsilbe *be-* intransitive Verben transitiv macht:
   Der Unterricht endete 10 Min. früher. – Der Lehrer beendete den Unterricht
   10 Min. früher.
   Er hat gelogen. – Er hat mich belogen.
   Er drohte ihnen. – Er bedrohte sie.

Bei dem letzten Beispiel tritt außer dem Form- aber auch bereits ein Bedeutungs-
unterschied ein: *jm drohen* heißt soviel wie warnen, *jn bedrohen* aber bedeutet
schon fast angreifen.

Vgl. eine ähnliche Intensivierung bei *raten D – beraten A* und *auftragen D – beauf-
tragen A.*
   Der Rechtsanwalt hat ihr geraten, ein Testament zu machen.
   Er hat sie bei der Abfassung ihres Testaments beraten.

Im ersten Fall *(raten D)* hat er nur einen einzelnen Rat gegeben, im zweiten *(beraten A)* dagegen eine zusammenhängende, systematische Anleitung.

Er hat mir aufgetragen, Sie zu grüßen.
Er hat mich beauftragt, Ihnen folgendes zu sagen.
auftragen D ist kaum mehr als bitten, *beauftragen* A dagegen ist ein dienstlicher Befehl.

Ziemlich zahlreich sind Verben mit präpositionalem Objekt, die durch *be-* transitiv werden:

antworten auf – beantworten, wohnen in – bewohnen, treten in – betreten

Auch hier führt die Vorsilbe *be-* zugleich eine Bedeutungsänderung herbei, z.B. *auf eine Frage antworten* und *eine Frage beantworten*. Der erste Ausdruck stellt fest, daß man irgendwie antwortet, also vielleicht diplomatisch, ausweichend. Dagegen besagt *eine Frage beantworten*, daß man im Sinne des Fragers und der Frage antwortet, also wirklich das sagt, was der Frager wissen will.* In einer Prüfung geht es nicht darum, auf die Fragen des Prüfenden irgend etwas zu antworten, sondern darum, die Prüfungsfragen zu beantworten.

Wir wohnen in einem Landhaus, dieser Satz läßt offen, ob auch noch andere Leute im Hause wohnen. *Wir bewohnen ein Landhaus* besagt dagegen, daß wir es allein bewohnen.

Allgemein und regelhaft läßt sich also formulieren, daß die Form mit Präposition schwächer und unbestimmter ist. Die Präposition tritt sozusagen zwischen das Objekt und die Aktion des Verbs und schwächt diese ab. Bei der transitiven Form mit *be-* dagegen trifft die Aktion direkt, unvermittelt das Objekt. Das transitive Verb ist in der Bedeutung präziser, in der Aussage stärker.

Er betrat das Zimmer bezeichnet einen energischeren Eintritt als das neutralere: *Er trat in das Zimmer.*
Bedenken Sie die Folgen! fordert ein intensiveres Nachdenken als *Denken Sie an die Folgen!*

Ebenso bringen Formen wie *er beherrscht ein großes Gebiet*
er besiegte seine Feinde
größere Kraft und Macht zum Ausdruck als *er herrscht über ein großes Gebiet*
er siegte über seine Feinde.

Vgl. folgende Beispiele mit ähnlichem Unterschied in der Ausdrucksstärke:
er weint, klagt, trauert über den Verlust seines Freundes
er beweint, beklagt, betrauert den Verlust seines Freundes
Der Satz: *Wir stiegen auf einen Berg* läßt offen, wie weit wir hinaufgestiegen sind. Dagegen besagt: *Wir bestiegen einen Berg,* daß wir ihn ganz, bis zum Gipfel bestiegen haben.

---

* „Eines ist, *auf* eine Frage antworten, ein anderes, eine Frage *be*antworten." Lessing im Streit mit dem Hauptpastor Goetze.

Die transitive Form ist also energischer, aktiver. Vgl.:
Ein Wald grenzt an das Grundstück. – Ein Wald begrenzt das Grundstück. –
Der Staat kämpft gegen die Korruption. – Der Staat bekämpft die K. –
Achten Sie auf das Halteschild! – Beachten Sie das Halteschild! – Wir sind
viel in Deutschland gereist (= hier und da). *– Wir haben ganz Deutschland*
bereist (= systematisch).

Ebenso: *an et. zweifeln – et. bezweifeln*
   über et. sprechen – et. besprechen
   über et. urteilen – et. beurteilen usw.

In den Fällen, wo das einfache Verb bereits transitiv ist, tritt durch die Vorsilbe *be-*
häufig ein Wechsel des Objekts ein:
   man *baut ein Haus –* man *bebaut ein Grundstück*
   man *druckt ein Buch –* man *bedruckt das Papier*
   man *klebt Plakate an eine Wand –* man *beklebt eine Wand mit Plakaten*
   (= die ganze Wand)
   man *läd Kohlen auf einen Wagen –* man *beläd einen Wagen mit Kohlen*
   man *packt Säcke auf einen Esel –* man *bepackt einen Esel mit Säcken*
   man *pflanzt Bäume auf eine Wiese –* man *bepflanzt eine Wiese mit Bäumen*
   (= die ganze Wiese)
   man *sät Weizen auf ein Feld –* man *besät ein Feld mit Weizen*
   man *schneidet Zweige von einem Baum –* man *beschneidet einen Baum*
   (= systematisch, gärtnerisch, zur Pflege)
   man *singt ein Lied –* man *besingt die Liebe, die Heimat* usw.

In wieder anderen Fällen tritt ein Objektwechsel von der Sache zur Person ein:
   man *stiehlt eine Uhr –* man *bestiehlt einen Menschen*
   man *raubt Geld –* man *beraubt einen Menschen*
   man *erbt ein Haus –* man *beerbt einen Onkel*
   man *liefert Ware –* man *beliefert einen Kunden*
   man *schenkt Dinge –* man *beschenkt Personen* u.a.m.

Beachte schließlich den sachlichen Unterschied zwischen *grüßen* und *begrüßen*:
   jn grüßen heißt ihm guten Tag usw. sagen
   jn begrüßen heißt ihn in unserem Haus oder Land willkommen heißen.

Grüßen geschieht also oft, bei jeder Begegnung, *begrüßen* immer nur einmal, nur
bei der ersten Begegnung oder nach einer langen Zeit der Trennung.
begrüßen ist entweder offiziell oder festlich.

Verben mit der Vorsilbe er-

Bei den Verben mit der Vorsilbe *er-* heben sich zwei Gruppen heraus. Die eine bezeichnet den *Beginn* eines Vorgangs oder Zustandes:

erblicken, erblühen, erklingen, erlöschen, erscheinen, erwachen, erbleichen, erblinden, erkalten, erkranken, ermüden, erstarren usw.

Die andere Gruppe bezeichnet die *Vollendung* eines Vorgangs oder einer Handlung. Zwischen *bauen* und *erbauen* besteht der Unterschied, daß die Vorsilbe *er-* die Vollendung anzeigt. Die Bauinschrift heißt also gewöhnlich: *Erbaut im Jahre 1970,* weil das Gebäude da fertig wurde. Vgl.

An dieser Kirche ist 30 Jahre lang gebaut worden.
Diese Kirche ist in 30 Jahren erbaut worden.

Gewöhnlich *besteigt* man einen Berg, den Gipfel, aber *ersteigt* man, weil die Besteigung da zu Ende ist.

Eine Sprache oder ein Handwerk kann man *lernen* und *erlernen.* Das erstere läßt offen, wie weit man gekommen ist, das letztere besagt, daß die Ausbildung vollendet, abgeschlossen wurde.

sich heben – sich erheben

Die Anwendung von *sich heben* und *sich erheben* ist nicht ganz leicht.
sich heben bezeichnet natürlich eine Hebung von beliebiger Größe,
sich erheben dagegen eine maximale Hebung, die nicht mehr überschritten werden kann oder unveränderlich ist.

Der Meeresspiegel hat sich an dieser Stelle um einige dcm gehoben.
Der Berg erhebt sich fast 3000 m hoch.

Die Entscheidung im einzelnen ist nicht immer klar, wird aber in vielen Fällen leicht, wenn man weiß, daß *sich erheben* für *entstehen* eintritt.

Übung A: sich heben oder sich erheben?
1. Plötzlich .... sich ein gewaltiger Sturm. 2. Der Lebensstandard hat sich ständig .... 3. Nun .... sich die Frage, das Problem, ob... 4. Die Volkshochschulen versuchen, das allgemeine Bildungsniveau zu .... 5. 1525, im sog. Bauernkrieg, ... sich in Deutschland die Bauern gegen die Fürsten. 6. Dann .... sich noch folgende Schwierigkeit. 7. Die Sonne .... sich mit leuchtender Glut aus dem Meer. 8. Über der Stadt ....

sich ein hoher Berg. 9. Der Boden . . . . sich und senkte sich. 10. Neben dem Restaurant . . . . sich ein hoher Aussichtsturm. 11. Plötzlich . . . . sich ein lautes Geschrei. 12. Die Entwicklungshilfe soll mit dem wirtschaftlichen und sozialen auch das Leistungsniveau der Entwicklungsländer . . . .

Beachte: man sagt *die Hand, den Arm heben,* aber

sich erheben = zu sprechen anfangen

öffnen – eröffnen

öffnen A

bezeichnet das normale Aufmachen.

man öffnet die Augen, das Fenster, einen Brief, ein Paket usw.
Reflexiv: *Die Blumen öffnen sich. – Die Tür läßt sich nicht öffnen.*
Aber beachte: *Die Geschäfte öffnen um 9 Uhr.*

eröffnen A

heißt zum erstenmal öffnen, oft in der Bedeutung von einweihen.

ein neues Geschäft, eine Ausstellung, die (Konzert-, Theater-, Reise-)
Saison, eine Sitzung, aber auch *ein Konto* und *der Konkurs* werden *eröffnet;*
ebenso *eine neue Eisenbahnlinie, eine neue Autobahnstrecke.*
Dagegen werden *eingeweiht* eine neue Schule, ein Institut, eine Brücke.

eröffnen DA

mit Dat. und Akk. gebraucht man bei der Mitteilung von etwas Unerwartetem oder bisher Unbekanntem, also in der Bedeutung von *mitteilen, zur Kenntnis bringen.*

Die Sekretärin hat dem Chef eröffnet, daß sie zum nächsten Ersten gehen will. – Er hat mir seine Pläne eröffnet.

Beachte: *eine weite Aussicht* (in die Landschaft) *öffnet sich*

günstige Aussichten (für die Zukunft) *eröffnen sich*

Übung B: öffnen, sich öffnen oder eröffnen?

1. Wann .... die Geschäfte? 2. Wann wird das neue Geschäft ....? 3. Wie soll ich ohne Dosenöffner die Dose ....? 4. Nach den Parlamentsferien wurde die neue Sitzungsperiode mit einem Festakt .... 5. Jugoslawien hat seinerzeit als erstes kommunistisches Land seine Grenzen dem Tourismus .... 6. Das Testament wurde den Erben notariell (= durch einen Notar) .... 7. Die Tür .... von selbst, automatisch. 8. Die Kunstausstellung wurde durch den Bundespräsidenten .... 9. Die Archäologen haben wieder ein neues Königsgrab entdeckt und .... 10. Der Kanal von Korinth wurde 1893 .... 11. Der Fallschirm .... 12. Der Betriebsführer hat die unangenehme Aufgabe, dreißig Arbeitern zu ...., daß sie entlassen werden. 13. Ich möchte bei Ihnen ein Konto .... 14. Gestern ist ein neues Teilstück der Autobahn .... worden. 15. Sesam ....! 16. Er .... das Buch zufällig gerade an der gesuchten Stelle. 17. Ich habe Ihnen etwas Wichtiges zu .... 18. In unserer Nähe wird ein großes Kaufhaus .... 19. Wann sind die Museen ....? 20. In mehreren Ländern haben die Regierungsparteien .... nach links ...., um an der Macht zu bleiben.

Verben mit der Vorsilbe ver- _____

Viele Verben mit *ver-* haben negative Bedeutung:
  verbieten, verderben, vergessen, verlernen, verlieren, versäumen
Andere sind positiv:
  verehren, versprechen, verstehen, vertrauen, verzeihen
Die meisten haben neutrale Bedeutung:
  verbinden, verbringen, verhandeln, verschenken, verwalten, verwenden
Hier lassen sich aber mehrere Gruppen unterscheiden, z.B.
  verkaufen, verleihen, vermieten, verpachten,
die *gebende* Bedeutung haben im Unterschied zur *nehmenden* von *kaufen, leihen* usw.
Bei einigen Verben bedeutet *ver-* das tötliche Ende.
  hungern, dursten, sinken, bluten
sind Zustände von längerer oder kürzerer Dauer.

  verhungern, verdursten, versinken, verbluten
bedeutet, an diesen Zuständen *verenden*, sterben, zugrunde gehen.

Vgl. auch *verbrauchen* = gebrauchen, bis nichts mehr übrig ist; *verbrennen, verzweifeln.*

Eine ziemlich große Gruppe der Verben mit *ver-* ist mit Adjektiven gebildet. Die meisten davon mit Positiv:

verdoppeln, vereinfachen, verkürzen, verwirklichen, verstaatlichen

einige wenige mit Komparativ:

verbessern, vergrößern, verkleinern, verlängern, verschönern, vermehren

Man kann also keine allgemeine Bedeutung von *ver-* angeben. Im folgenden üben wir eine Reihe von reflexiven Verben mit *ver-*, die alle negative Bedeutung haben.

Ich habe falsch geschrieben, habe einen Fehler beim Schreiben gemacht, (Ich wollte 24 schreiben und habe 42 geschrieben), heißt idiomatisch *Ich habe mich verschrieben.*

Ich habe eine falsche Tel.-Nr. gewählt – *Ich habe mich verwählt.*

Wir haben den Weg verloren und sind völlig falsch gefahren – *Wir haben uns völlig verfahren.*

Beachte folgende Besonderheiten: *zu spät kommen – sich verspäten* gilt nur für Personen. Busse, Züge, Flugzeuge verspäten sich nicht, sondern *haben Verspätung.* et. falsch, einen Fehler machen heißt *sich irren.*

Verzeihung, ich habe mich geirrt.

den Weg völlig verlieren und nicht mehr wissen, wo es weitergeht, heißt *sich verirren* (im Wald z.B.)

zu Fuß den Weg verlieren heißt nicht sich vergehen, sondern *sich verlaufen.* *sich vergehen* hat nur moralische und juristische Bedeutung: *sich gegen das Gesetz, die Humanität vergehen* = das Gesetz, die Humanität verletzen.

Übung C: Bilden Sie die Formulierung mit sich ver-!
1. Verzeihung, ich habe falsch gesprochen. Ich wollte etwas ganz anderes sagen. 2. Eine gute Sekretärin schreibt/tippt nur selten falsch. 3. Er kommt oft/gern zu spät. 4. Verzeihung, daß ich zu spät komme. 5. Der Weg ist etwas kompliziert. Passen Sie auf, daß Sie nicht falsch fahren! 6. Ich hatte eine falsche Telefonnummer gewählt und wurde falsch verbunden. 7. Die Banknummer stimmt nicht. Ich glaube, ich habe falsch gelesen. 8. Der Kellner hat falsch gerechnet. 9. Herr Ober, die Rechnung stimmt nicht. Ich glaube, Sie haben falsch gerechnet. 10. Meine Weckuhr hat nicht funktioniert, und so habe ich heute morgen zu lange geschlafen. 11. Das Flugzeug hat einen falschen Kurs genommen (ist falsch geflogen). 12. Wir gingen weiter und weiter auf dem falschen Weg. Bald waren wir völlig falsch. 13. Der Postbeamte hat falsch gezählt und mir zwei Briefmarken zuviel gegeben. 14. Es gab keine Wegweiser, und so sind wir im Wald falsch gegangen.

Man darf aber nun nicht glauben, alle reflexiven Verben mit *ver-* seien negativ. Es gibt natürlich ebenso welche mit positiver und neutraler Bedeutung:
sich verabreden, sich verbrüdern, sich verständigen
sich verlieben, verloben, verheiraten usw.

Einige Verben, die mit mehreren Präpositionen verbunden werden

sich freuen über – sich freuen auf – Freude haben an _____

sich freuen über A

bezieht sich auf gegenwärtige und vergangene Anlässe zur Freude.
Ich habe mich sehr darüber gefreut, von Ihnen zu hören.

sich freuen auf A

nennt zukünftige Anlässe zur Freude.
Die Kinder freuen sich auf die Ferien.

Freude haben, Freude erleben an D

bezeichnet eine ständige, dauernde Freude.
Wir haben das ganze Jahr viel Freude an unserem Garten.

Übung D: An, auf oder über?

1. Wir brauchen dringend Erholung und freuen uns wirklich sehr .... Urlaub. 2. Ich habe mich sehr ...... Ihr .... Brief gefreut. 3. Nicht alle Eltern erleben Freude ...... ihr .... Kindern. 4. Ich freue mich sehr .... Konzert heute abend. 5. Ich habe mich ...... all .... Geschenke, die ich bekommen habe, sehr gefreut. 6. ...... was für .... Geschenk würde er sich wohl besonders freuen? – Am meisten freut er sich immer .... Buch. 7. ...... mein .... neu

.... Schreibmaschine habe ich wirklich viel Freude. 8. Wir haben uns sehr ......
Ihr .... Besuch gefreut und freuen uns schon jetzt .... nächsten. 9. Frau
Ahrens hat ...... ihr .... neu .... Waschmaschine bis jetzt nicht viel Freude ge-
habt. Sie ist dauernd defekt. 10. Wir hatten uns so .... Ferien gefreut. Aber
leider hat es fast die ganze Zeit geregnet. 11. Sie ist sehr musikalisch und hat die
größte Freude ...... Musizieren. 12. Wenn man sich ...... etwas besonders freut,
wird es oft eine Enttäuschung. 13. Bergsteiger sind Leute, die .... Bergen
und ...... Bergsteigen Freude haben. 14. Camping-Urlaub ist nur für Leute inter-
essant, die ...... Campen Freude (Interesse) haben.

bestehen aus – bestehen in – bestehen auf _____

bestehen aus

bezeichnet die Teile oder das Material.
Wasser besteht aus Wasserstoff (H) und Sauerstoff (O).
Die Tischplatte besteht nicht aus Holz, sondern aus Kunststoff.

bestehen in D

erklärt die Ursache oder das Wesen (die Natur) eines Tatbestandes (nie einer
Sache).
Die Schwierigkeit besteht darin, daß wir nicht genug Zeit haben.
Die Harmonie besteht im Gleichmaß aller Teile.

bestehen auf D

bezeichnet eine menschliche Handlung und bedeutet insistieren.
Die Firma besteht auf Bezahlung vor der Lieferung (Vorauszahlung), aber
der Kunde besteht auf Lieferung vor der Bezahlung.

Übung E: Auf, aus oder in?
1. Deutschland besteht ...... 16 Bundesländern, die Schweiz ...... 22 Kantonen.
2. Der SPIEGEL besteht ...... der Richtigkeit seiner Darstellung. 3. Die Gefahr
dieser Bergtour besteht ......, daß das Wetter in diesem Teil der Alpen plötzlich
umschlagen kann. 4. ...... besteht eine komplette Fotoausrüstung? – Sie besteht
...... Apparat, Objektiven, Filtern und vielleicht auch einem Stativ, und ......

73

Filmen natürlich. 5. . . . . . . besteht der Unterschied zwischen enden und beenden? 6. Der Mieter besteht . . . . . . seinem Recht. 7. Das Risiko besteht . . . . . ., daß es keine Sicherheit gibt. 8. Ein Baum besteht . . . . . . Krone, Stamm und Wurzeln. Auch die Zähne bestehen . . . . . . Krone und Wurzel. 9. Ich will nicht . . . . . . bestehen, daß es so war. Vielleicht war es auch anders. 10. Der Vorteil von Nylon besteht . . . . . . seiner großen Haltbarkeit, sein Nachteil . . . . . . seiner Luftundurchlässigkeit. 11. Goethes Faust besteht . . . . . . zwei sehr ungleichen Teilen. 12. Die Bedeutung Goethes besteht . . . . . ., daß er nicht nur ein großer Dichter, sondern auch ein bedeutender Naturforscher war. 13. Flugzeuge bestehen zu einem großen Teil . . . . . . Aluminium. 14. Immer mehr Autoteile bestehen heute . . . . . . Plastik. 15. Seine Schuld besteht . . . . . ., daß er zu lange geschwiegen hat. 16. Der Unterschied besteht natürlich nicht nur . . . . . . Preis, sondern auch . . . . . . der Qualität. 17. Nach dem gemeinsamen Abendessen bestanden beide Freunde . . . . . ., für den anderen zu bezahlen. 18. Ein komplettes Essen besteht . . . . . . mindestens drei Gängen: Vorspeise, Hauptspeise und Nachspeise. 19. Die Voraussetzungen für ein erfolgreiches Studium bestehen . . . . . . Intelligenz, ... Fleiß, ... gutem Gedächtnis und Interesse. 20. Der menschliche Körper besteht zum größten Teil . . . . . . Wasser und . . . . . . einigen Prozent Mineralien. 21. Die Lebenskunst besteht vor allem . . . . . . der Fähigkeit, sich anzupassen. 22. . . . . . . besteht das Glück? – Das Glück besteht nicht . . . . . . Geld und Gut, sondern . . . . . . Zufriedenheit und Dankbarkeit.

Übung E 2:Bilden Sie eigene Fragen und Antworten, z.B.
Woraus besteht eine 4-Zimmer-Wohnung?
Woraus besteht eine Universität, eine Familie, eine Regierung usw.?
Worin besteht der Unterschied zwischen . . . . ?

sprechen von – sprechen über

sprechen von

ist partitiv und schließt immer mehrere Themen ein.
Wir haben von vielem und verschiedenem, von allem möglichen gesprochen.

sprechen über A

ist thematisch und ausführlich (z.T. systematisch).
Wir haben über unsere Reisepläne für den Sommer gesprochen.

Es ist höflich, zu jm. zu sagen,

wir haben gestern abend auch von Ihnen gesprochen,

denn es zeigt Interesse und Teilnahme. Aber es wäre sehr dubios zu sagen,

wir haben gestern abend auch über Sie gesprochen,

denn das bedeutet im allgemeinen: nicht nur Gutes.

Alles thematische Sprechen (und Schreiben) geschieht also *über*:

diskutieren, verhandeln, referieren über

ein Referat, eine Vorlesung, einen Vortrag halten über

ein Film, ein Buch, eine Besprechung (Rezension), eine Kritik über

Übung F: Von oder über?

1. Nun erzählen Sie uns mal ein bißchen . . . . . . Ihr . . . . Reise! 2. Nun berichten Sie uns mal ausführlich . . . . . . Ihr . . . . Eindrücke in Deutschland! 3. Ich lese gerade ein hochinteressantes Buch . . . . . . Tibet. 4. Heute abend spricht ein bekannter Physiker . . . . Relativitätstheorie. 5. Im Fernsehen gibt es einen interessanten Film . . . . . . Indien. 6. Heute abend gibt es zwei interessante Vorträge. Ein Archäologe spricht . . . . . . Karthago und ein Historiker . . . . . . Hannibal. 7. . . . . . . darf man in guter Gesellschaft nicht sprechen? – Nicht . . . . . . Wetter, nicht . . . . . . Politik, nicht . . . . . . Religion, nicht . . . . . . Geld. 8. Denn es ist langweilig, ... Wetter zu sprechen, gefährlich, ... Politik oder Religion zu sprechen, unfein, ... Geld zu sprechen. 9. Lassen wir das! Sprechen wir nicht . . . . . .! 10. Wir haben lange . . . . Problem diskutiert. 11. Er hat viel Erfahrung und Verständnis. Mit ihm kann man . . . . . . all . . . . sprechen. 12. Sie hat heute ganz furchtbar . . . . . . ihr . . . . Chef geschimpft. 13. Denn der Chef hat sich . . . . . . ihr . . . . Gehaltserhöhung immer noch nicht geäußert. 14. Wo kann ich ein gutes Buch . . . . . . Ostafrika finden? 15. Manche Journalisten schreiben Kritiken . . . . . . Bücher, die sie gar nicht gelesen haben. 16. Du sollst nicht . . . . . . etwas reden, von dem du nichts verstehst.

sich interessieren für – interessiert sein, Interesse haben an

Für den Ausländer ist es irritierend, daß die deutsche Sprache beim Wortfeld Interesse das Verb mit der *Präposition für*, das Adjektiv und Substantiv aber mit an D gebraucht. Einige Beispiele sollen helfen, diesen Unterschied zu automatisieren. Merke: *interessiert sein an, Interesse haben an* meint oft speziell geschäftliches, finanzielles Interesse.

Übung G: Für oder an?

1. Ich interessiere mich sehr ...... Fußball, aber meine Frau ist ...... Fußball überhaupt nicht interessiert. 2. Dagegen tanzt meine Frau sehr gern, aber ich habe ...... Tanzen überhaupt kein Interesse. 3. Das Auto ist sehr schön, aber .... so teuren Wagen bin ich nicht interessiert. 4. Er interessiert sich sehr ...... Sport, aber ...... Musik z.B. hat er überhaupt kein Interesse. 5. Er wäre .... Haus sehr interessiert, wenn es nicht so teuer wäre. 6. Man kann sich nicht ...... all .... interessieren. 7. Sie kennen sich schon lange, aber ...... Heirat, scheint es, sind sie nicht interessiert. 8. Wenn er unmusikalisch ist und sich ...... Musik nicht interessiert, kann man ihm das Interesse ...... Musik nicht aufzwingen. 9. Was für ein Buch soll ich ihm schenken? ...... interessiert er sich besonders? 10. Auf keinen Fall ein Buch über Kunst, denn ...... interessiert er sich überhaupt nicht. 11. Ich würde gern zu dem Vortrag kommen und bin .... Thema sehr interessiert. Es fehlt mir nicht an Interesse, aber an Zeit. 12. Ein Kapitalist ist ein Mensch, der nur ...... Geld interessiert ist. Ein Sozialist dagegen ist ein Mensch, der überhaupt nicht ...... Geld interessiert ist.

76

Index

Das Verzeichnis führt nur die Verben auf, die in den Übungen vorkommen.
Die Zahlen verweisen auf die Übungsnummern, die Buchstaben auf die Übungen im Anhang.

Schlüssel

Übung 1
1. wechselt 2. ändert 3. ändern 4. wechseln 5. wechseln 6. ändert sich 7. geändert 8. ändern 9. sich geändert 10. wechseln 11. wechseln 12. ändert sich 13. ändern 14. wechseln 15. (ver)ändern 16. wechselt 17. ändern 18. ändert 19. ändert 20. ändern 21. ändern 22. gewechselt 23. gewechselt 24. geändert 25. ändert sich

Übung 3
1. -änderung 2. -wechsel 3. -wechsel 4. -änderung 5. -änderung = der Handschrift, -wechsel = Korrespondenz 6. -wechsel 7. -änderung oder -wechsel, je nach dem, ob völlige oder nur teilweise Änderung des Programms 8. -änderung und -wechsel, je nach der Größe der Änderung 9. -wechsel 10. -wechsel 11. -änderung und -wechsel 12. -änderung oder -wechsel, je nach dem, ob schwache oder starke Änderung des Kurses 13. -wechsel 14. -wechsel = Streit

Übung 5
1. tauschen 2. ausgetauscht 3. tauschen 4. umtauschen 5. ausgetauscht 6. zu tauschen 7. ausgetauscht 8. tauschen 9. ausgetauscht 10. tauschen

Übung 6
1. -austausch 2. Umtausch- 3. -tausch 4. Tausch- 5. -austausch 6. -tausch oder -umtausch 7. Tausch- 8. Austausch-

Übung 7
1. verwechselt 2. vertauscht 3. vertauscht 4. verwechseln 5. verwechselt

Übung 8
1. anbieten 2. bieten 3. bietet 4. anbieten 5. anbieten 6. bietet 7. geboten 8. angeboten 9. bietet 10. bietet 11. angeboten 12. bot 13. angeboten 14. bietet 15. bieten 16. bietet 17. angeboten 18. bietet 19. bietet 20. anzubieten 21. angeboten 22. geboten

Übung 9
1. beschlossen 2. mich entschlossen 3. beschlossen 4. sich entschließen 5. beschlossen 6. sich entschlossen 7. sich entschließen 8. beschlossen 9. sich entschlossen 10. beschlossen 11. sich entschließen

Übung 10
1. wofür entscheiden 2. zu – entschließen 3. wofür entscheiden 4. entschied – für 5. zu – entschließen

Übung 11a
1. kennen 2. wissen 3. weiß 4. Wissen 5. kennen 6. wissen 7. kennen oder wissen, s. Erklärung 8. kennt 9. kann 10. weiß 11. wissen 12. kennen 13. wissen 14. weiß 15. gewußt 16. kennen 17. wissen – weiß, weiß (ZK = Zentralkatalog) 18. kennt = theoretisch, linguistisch; kann = sprechen kann 19. kennt 20. weiß 21. wissen 22. wissen

Übung 11b
1. weißt – kennst 2. weiß – kenne 3. können – kann 4. wissem 5. kenne – weiß 6. weiß 7. kenne 8. kann 9. wissen 10. wissen – weiß 11. wissen 12. Kenner 13. weiß 14. weiß 15. wissen 16. wissen

Übung 12

1. daran gedacht 2. denken – daran 3. dachte 4. darüber nachdenken 5. bedenken 6. über – nachdenken 7. bedenken 8. dachte 9. darüber nachgedacht 10. denken, vorstellen 11. denken – daran 12. bedacht 13. denkst – daran 14. über – nachzudenken 15. gedacht 16. daran gedacht 17. dachte 18. gedenken; besser: was haben Sie in den Ferien vor? 19. bedacht 20. über – nachgedacht 21. woran – gedacht 22. gedachten – gedachte

Übung 13

1. enden oder sind zu Ende 2. beenden oder fertig haben 3. enden 4. beendet hatte 5. geendet; oder: ist sie zu Ende gegangen? 6. endet 7. beendet 8. endete 9. enden 10. beenden 11. enden, aufhören 12. endet, zu Ende geht 13. endet 14. beenden 15. endete – endete

Übung 14

1. abwarten 2. erwarte 3. auf – warten 4. erwarten 5. gewartet 6. abwarten 7. erwarten 8. warten* 9. erwarte 10. warten – auf 11. erwartet 12. erwarten von 13. warte – darauf 14. von – erwarten 15. abwarten
* So heißt es im Sprichwort, aber natürlich auch im Sinne von abwarten.

Übung 15

1. ausprobiert 2. probieren 3. anzuprobieren 4. probieren 5. Probieren 6. ausprobieren 7. probiert 8. anzuprobieren 9. ausprobieren 10. probiert, probieren, Probieren 11. ausprobiert

Übung 16

1. verhindert 2. hindern 3. verhindert 4. behindert – verhindert 5. gehindert – verhindert – verhindert 6. verhinderter – verhindertes 7. hindert 8. gehindert – verhindert 9. behindert 10. hindern 11. verhindern 12. hindern

Übung 17a

1. muß 2. muß 3. soll 4. muß 5. muß 6. sollen 7. muß 8. soll 9. muß 10. sollst 11. müssen 12. soll 13. muß 14. soll 15. müssen 16. soll

Übung 17b

1. sollst 2. mußte 3. muß 4. soll – soll – soll 5. muß 6. sollen 7. sollen 8. müssen 9. muß 10. müssen 11. muß 12. sollen, auch müssen 13. soll 14. muß 15. muß 16. sollst

Übung 18

1. befolgen 2. auf – folgt 3. verfolge – verfolgt 4. verfolgt 5. folgen 6. auf – erfolgt 7. verfolgt 8. folgt 9. aus – folgt 10. befolgen 11. verfolgt 12. folgt 13. verfolgte 14. verfolgt 15. auf – folgt 16. erfolgen 17. folgen 18. verfolgt – verfolgt 19. folgt daraus 20. befolgen 21. verfolgt 22. erfolgte 23. folgt(e) 24. erfolgen 25. erfolgt

Übung 19

1. gehört 2. gehört – zu 3. gehören – zu. 4. gehört – an 5. gehört – dazu 6. zu – gehört 7. zum – gehört 8. zu – gehört 9. gehören – an 10. zu – gehören 11. gehört zu 12. zu – gehören 13. gehören – an 14. zu – gehört 15. zu – gehört

Übung 20

1. abkürzen 2. kürzer machen 3. gekürzt 4. verkürzt 5. kürzer machen 6. abzukürzen 7. gekürzt 8. abkürzen 9. verkürzt 10. verkürzen 11. kürzen 12. gekürzt 13. abkürzen 14. gekürzte 15. kürzen

Übung 21

1. Abkürzung 2. Verkürzung 3. Kürzung 4. Verkürzung 5. Kürzung 6. -kürzung 7. Kürzung 8. Abkürzung 9. -kürzung 10. Abkürzung 11. -kürzung 12. Kürzung

Übung 22
1. setzten 2. fortfahrt 3. fahren 4. fahren 5. fortsetzen 6. fuhr 7. fortzufahren 8. setzte 9. fahren 10. fortzusetzen

Übung 23
1. meidet 2. vermeide 3. vermeiden 4. meidet 5. vermeiden 6. gemieden 7. vermeiden 8. meide – vermeiden 9. vermeiden 10. vermeiden 11. meidet, sozusagen ihre Gesellschaft, die Berührung mit ihr 12. vermeiden 13. vermieden 14. vermeiden 15. meiden; wegen des Rhythmus statt vermeiden

Übung 24
1. befürchtet 2. fürchtet – sich 3. gefürchtet 4. fürchten 5. fürchtet sich vor der 6. befürchten 7. fürchten sich vor 8. sich vor keiner – fürchtet 9. befürchten 10. (be)fürchte 11. fürchtet sich davor 12. befürchten 13. fürchten sich vor dem 14. befürchtet 15. befürchten 16. er befürchtet eine Gepäckkontrolle = er sieht voraus, daß man das Gepäck kontrollieren und in Unordnung bringen wird. Aber er hat keine Angst vor der Kontrolle, denn er hat keine Schmuggelware bei sich. Er fürchtet nur den Zeitverlust und die Unordnung. Dagegen heißt er fürchtet sich vor der Gepäckkontrolle, daß er Schmuggelware bei sich hat und sich vor Entdeckung fürchtet. 17. fürchten uns vor einer 18. (be)fürchten 19. befürchten 20. fürchtet sich vor dem

Übung 25
1. Furcht 2. Furcht 3. Befürchtungen 4. Furcht 5. Befürchtungen 6. -furcht 7. Furcht 8. Befürchtungen 9. Befürchtungen sind 10. Furcht 11. Befürchtungen – sind 12. ist – Furcht

Übung 26a
1. macht 2. tut 3. tut 4. macht 5. macht 6. macht 7. gemacht – getan 8. machen 9. machen 10. tun 11. tue 12. tun – machen 13. machen 14. tun – tun 15. gemacht 16. getan 17. machen 18. klar machen 19. größer machen 20. einfacher machen

Übung 26b
1. macht 2. tun 3. getan 4. machen – tun 5. tun 6. gemacht 7. tun 8. tun 9. tun – tun 10. tun 11. machen 12. tun 13. machen 14. Tun 15. tut

Übung 27
1. verbessert 2. bessert 3. gebessert 4. gebessert 5. verbessert 6. gebessert 7. verbessert 8. bessern 9. bessern 10. gebessert 11. bessert 12. bessern

Übung 28
1. scheint 2. scheint 3. erscheint, kommt vor 4. scheint 5. kommen vor, erscheinen 6. kommt vor 7. erscheinen, vorkommen – erscheint, kommt vor 8. scheint 9. kommt vor, erscheint 10. erscheinen 11. erscheint, kommt vor 12. scheint 13. kommt vor 14. erscheinen, vorkommen 15. scheint 16. erscheint, vorkommt 17. kommt vor 18. scheint 19. erscheint, vorkommt 20. scheint

Übung 29
1. erkennen 2. erkannt 3. verstehe, begreife 4. verstehen, begreifen 5. erkannte 6. verstehen, begreifen 7. erkennen 8. erkannte 9. verstehen, begreifen 10. versteht, begreift 11. verstehen, begreifen 12. erkannten 13. verstehe, begreife 14. erkannten 15. verstehen, begreifen 16. erkannte, sah ein 17. versteht 18. verstehe 19. erkannte, sah ein 20. verstehen, begreifen 21. erkennen 22. erkennen, feststellen 23. verstehe, begreife 24. erkannten 25. versteht 26. verstehe

Übung 30

1. möglich 2. unmöglich; mag keinen, ißt, nimmt nicht gern 3. unmöglich; mag keine, sehe nicht gern 4. möglich, aber nicht schön; besser: sie wandert gern 5. unmöglich; er trinkt gern Bier, am liebsten Starkbier 6. möglich; besser: mögen Sie, hören Sie gern 7. möglich; auch: mögen sich, haben sich gern 8. unmöglich; gefällt Ihnen, noch besser: wie gefällt Ihnen 9. unmöglich; sie mag keine, trägt nicht gern 10. unmöglich; mögen Sie, essen Sie gern 11. möglich, aber besser: ich schreibe Briefe nicht gern mit 12. unmöglich; wie hat Ihnen gefallen 13. möglich; besser: spricht nicht gern 14. möglich; oder: er ist gern in Gesellschaft 15. unmöglich; er ist am liebsten 16. nicht gut; besser: sie mag D. nicht, D. gefällt ihr nicht, sie liest nicht gern D. 17. möglich; spielt gern Karten 18. möglich; besser: trage nicht gern 19. unmöglich; gefällt ihr nicht 20. unmöglich; mag nicht, ißt nicht gern 21. Jedem Narren gefällt die eigene Kappe am besten. 22. möglich; gefällt ihr am besten 23. unmöglich, mag nicht 24. unmöglich; gefällt Ihnen, besser: wie gefällt Ihnen 25. unmöglich; mag am liebsten, ißt am liebsten

Übung 31

1. getroffen 2. angetroffen 3. anzutreffen 4. trifft 5. angetroffen 6. anzutreffen 7. treffen uns 8. zu treffen, zu finden 9. euch getroffen 10. anzutreffen

Übung 32

1. nehmen 2. bekommen 3. nehmen 4. bekommen 5. nimmt 6. bekommen 7. nehmen 8. bekommen 9. bekommen 10. nehme 11. bekommt 12. bekommen 13. nehmen 14. nehme 15. genommen 16. bekommen 17. bekommen 18. bekommt 19. nehme 20. genommen 21. bekommen 22. nimmt

Übung 33

1. gelernt 2. erfahren 3. erfahren 4. gelernt 5. erfahren 6. lernen 7. erfahren 8. gelernt 9. erfuhr 10. erfahren 11. lernt 12. lernen

Übung 34

1. erreichten 2. erreicht 3. schaffen 4. erreicht 5. schaffen 6. erreicht 7. schafft 8. geschafft 9. geschafft 10. erreichte 11. erreichten 12. schaffte – erreichen 13. schafften 14. erreichen 15. geschafft

Übung 35

1. überqueren 2. durchquerte 3. überquerte 4. überqueren 5. durchqueren 6. durchqueren 7. überqueren 8. überqueren 9. überqueren 10. überqueren 11. überqueren – durchqueren 12. durchquert (mit dem Auto, mit der Bahn); überquert (mit dem Flugzeug)

Übung 36

1. gewonnen 2. hergestellt 3. zu erzeugen 4. erzeugt, angebaut 5. hergestellt 6. erzeugt 7. gewonnen 8. hergestellt 9. hergestellt 10. erzeugt 11. hergestellt 12. gewonnen 13. hergestellte 14. erzeugt, angebaut 15. stellt her 16. gewinnt 17. erzeugen 18. erzeugt, hergestellt 19. hergestellt 20. gewonnen

Übung 37

1. -gewinnung 2. -herstellung, -produktion 3. -erzeugung 4. -herstellung, -produktion 5. -erzeugung 6. -erzeugung 7. -herstellung, -produktion 8. -anbau 9. -erzeugung 10. -gewinnung 11. -erzeugung

Übung 38

1. anzusehen 2. (uns) anzusehen, zu besichtigen 3. mir – angesehen 4. euch – anzusehen 5. sieht an 6. mir ansehen 7. sehen sich an 8. (sich) anzusehen, zu besichtigen 9. (uns) ansehen, besichtigen 10. dir ansehen

Übung 39
1. sehen den Kindern zu, neutral, ohne besonderen Anlaß; beobachten die Kinder, um zu sehen, was sie machen und ob sie vielleicht Dummheiten machen 2. beobachtet, um darüber zu schwätzen und zu tratschen 3. betrachten, ansehen 4. beobachtet 5. betrachtet 6. sieht zu, beobachtet 7. dem – zusehen 8. beobachtet 9. betrachtet, angesehen 10. zusieht

Übung 40
1. zugestimmt – gebilligt 2. zuzustimmen 3. überein 4. zugestimmt 5. überein – sich einig 6. zustimmen 7. übereinstimmen 8. zustimmt – einverstanden seid 9. überein – sich einig 10. zu

Übung A
1. erhob sich, entstand 2. gehoben 3. erhebt sich, entsteht 4. heben 5. erhoben 6. erhebt sich, entsteht, besteht 7. erhob 8. erhebt 9. hob 10. erhebt 11. erhob sich, entstand 12. heben

Übung B
1. öffnen 2. eröffnet 3. öffnen 4. eröffnet 5. geöffnet 6. eröffnet 7. öffnet sich 8. eröffnet 9. geöffnet 10. eröffnet 11. öffnet sich 12. eröffnen 13. eröffnen 14. eröffnet 15. öffne dich 16. öffnete 17. eröffnen 18. eröffnet 19. geöffnet 20. sich geöffnet

Übung C
1. habe mich versprochen 2. verschreibt/vertippt sich 3. verspätet sich 4. mich verspätet habe 5. sich nicht verfahren 6. mich verwählt. 7. habe mich verlesen 8. hat sich verrechnet 9. haben sich verrechnet 10. habe mich verschlafen 11. hat sich verflogen 12. hatten uns verirrt 13. hat sich verzählt 14. haben uns verlaufen

Übung D
1. auf den 2. über Ihren 3. an ihren 4. auf das 5. über alle 6. über was für ein – über ein 7. an meiner neuen 8. über Ihren, auf den 9. an ihrer neuen 10. auf die 11. am 12. auf 13. an den, am 14. am

Übung E
1. aus, aus 2. auf 3. darin 4. woraus – aus, aus 5. worin 6. auf 7. darin 8. aus, aus 9. darauf 10. in, in 11. aus 12. darin 13. aus 14. aus 15. darin 16. im, in 17. darauf 18. aus 19. in, in, in 20. aus, aus 21. in 22. worin – in, in

Übung F
1. von Ihrer 2. über Ihre 3. über 4. über die 5. über 6. über, über 7. wovon – vom, von, von, vom 8. vom. von, vom 9. davon 10. über das 11. über alles 12. über ihren 13. über ihre 14. über 15. über 16. über

Übung G
1. für, an 2. am 3. an einem 4. für, an 5. an dem 6. für alles 7. an 8. für, an 9. wofür 10. dafür 11. an dem 12. am, am

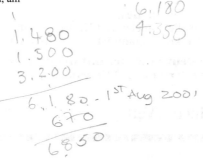

83